력 GO!

GO! 매쓰

GO!

Run-C
교과서 사고력

수학 3-2

구성과 특징

1주차 교과 집중 학습

1 교과서 개념 완성

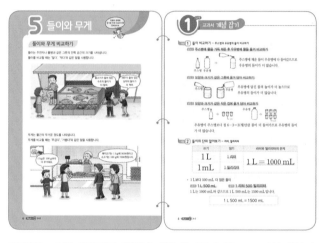

재미있는 수학 이야기로 단원에 대한 흥미를 높이고, 교과서 개념과 기본 문제를 학습합니다.

2 교과서 개념 PLAY

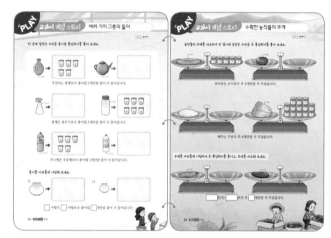

게임으로 개념을 학습하면서 집중력을 높여 쉽게 개념을 익히고 기본을 탄탄하게 만듭니다.

3 문제 풀이로 실력 & 자신감 UP!

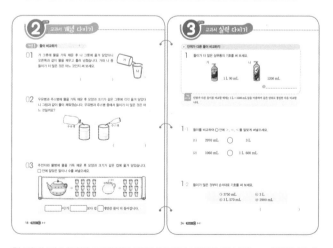

한 단계 더 나아간 교과서와 익힘 문제로 개념을 완성하고, 다양한 문제 유형으로 응용력을 키웁니다.

4 서술형 문제 풀이

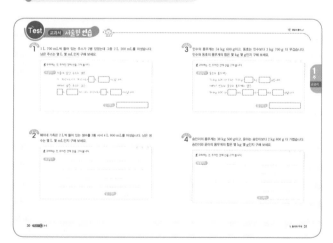

시험에 잘 나오는 서술형 문제 중심으로 단계별로 풀이하는 연습을 하여 서술하는 힘을 높여 줍니다.

2^{주차} 사고력 확장 학습

1 사고력 PLAY

교과 심화 문제와 사고력 문제를 게임으로 쉽게 접근하여 어려운 문제에 대한 거부감을 낮추고 집중력을 높입니다.

2 교과 사고력 잡기

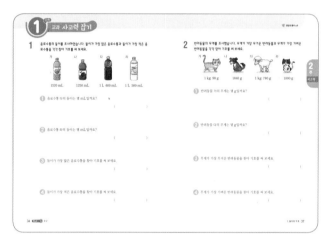

문제에 필요한 요소를 찾아 단계별로 해결하면서 문제 해결력을 키울 수 있는 힘을 기릅니다.

3 교과 사고력 확장+완성

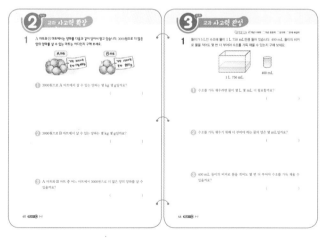

틀에서 벗어난 생각을 하여 문제를 해결하는 창의적 사고력을 기를 수 있는 힘을 기릅니다.

4 종합평가 / 특강

교과 학습과 사고력 학습을 얼마나 잘 이해하였는지 평가하여 배운 내용을 정리합니다.

5 들이와 무게

단원과 관련된 들이와 무게 비교하기를 살펴보아요.

들이와 무게 비교하기

들이는 주전자나 물병과 같은 그릇의 안쪽 공간의 크기를 나타냅니다.

들이를 비교할 때는 '많다', '적다'와 같은 말을 사용합니다.

무게는 물건의 무거운 정도를 나타냅니다.

무게를 비교할 때는 '무겁다', '가볍다'와 같은 말을 사용합니다.

들이가 많은 것부터 순서대로 1, 2, 3, 4를 써 보세요.

(   )   (   )   (   )   (   )

무게가 무거운 것부터 순서대로 1, 2, 3을 써 보세요.

(   )   (   )   (   )

개념 **1** 들이 비교하기 – 주스병과 우유병의 들이 비교하기

방법 1 **주스병에 물을 가득 채운 후 우유병에 물을 옮겨 비교하기**

주스병에 채운 물이 우유병에 다 들어갔으므로 우유병의 들이가 더 많습니다.

방법 2 **모양과 크기가 같은 그릇에 옮겨 담아 비교하기**

우유병에 담긴 물의 높이가 더 높으므로 우유병의 들이가 더 많습니다.

방법 3 **모양과 크기가 같은 작은 컵에 옮겨 담아 비교하기**

주스병   우유병

3개   6개

우유병이 주스병보다 컵 6－3＝3(개)만큼 물이 더 들어가므로 우유병의 들이가 더 많습니다.

개념 **2** 들이의 단위 알아보기 – 리터, 밀리리터

쓰기	읽기	리터와 밀리리터의 관계
1 L	1 리터	$1\,L = 1000\,mL$
1 mL	1 밀리리터	

- 1 L보다 500 mL 더 많은 들이

  쓰기 **1 L 500 mL**   읽기 **1 리터 500 밀리리터**

  1 L는 1000 mL와 같으므로 1 L 500 mL는 1500 mL입니다.

$$1\ L\ 500\ mL = 1500\ mL$$

개념 확인 문제

1-1 물병과 주스병에 물을 가득 채운 후 모양과 크기가 같은 그릇에 옮겨 담았습니다. 오른쪽과 같이 물을 채웠을 때에 물병과 주스병 중 들이가 더 많은 것은 어느 것인지 써 보세요.

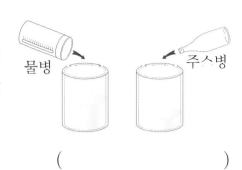

(   )

1-2 ㉮ 물병과 ㉯ 물병에 물을 가득 채운 후 모양과 크기가 같은 작은 컵에 옮겨 담았습니다. ㉮ 물병과 ㉯ 물병 중 들이가 더 많은 것은 어느 것일까요?

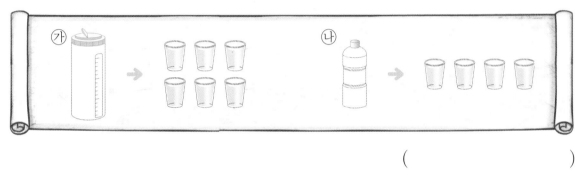

(   )

2-1 물의 양이 얼마인지 눈금을 읽어 보세요.

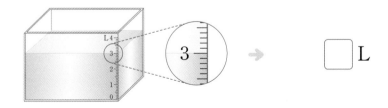

$\square$ L

2-2 $\square$ 안에 알맞은 수를 써넣으세요.

(1) 3000 mL = $\square$ L   (2) 2 L 700 mL = $\square$ mL

(3) 6900 mL = $\square$ L $\square$ mL   (4) 4500 mL = $\square$ L $\square$ mL

개념 3 들이를 어림하고 재어 보기

들이를 어림하여 말할 때는 **약 ▢ L** 또는 **약 ▢ mL** 라고 합니다.

음료수 캔의 들이는 요구르트병의 3배 정도이므로 약 240 mL입니다.

음료수 캔 → 요구르트병
80 mL

우유갑 → 주전자
1 L

주전자의 들이는 우유갑의 5배 정도 이므로 약 5 L입니다.

개념 4 들이의 덧셈

L는 L끼리 더하고, mL는 mL끼리 더합니다.

이때 mL끼리의 합이 1000 mL이거나 1000 mL를 넘으면 1000 mL를 1 L로 받아올림합니다.

	5 L	200 mL
+	1 L	300 mL
	6 L	500 mL

L는 L끼리 ⌐   ⌐ mL는 mL끼리

1 → 800 mL + 500 mL = 1300 mL이므로 1000 mL를 1 L로 받아올림합니다.

	3 L	800 mL
+	1 L	500 mL
	5 L	300 mL

개념 5 들이의 뺄셈

L는 L끼리 빼고, mL는 mL끼리 뺍니다.

이때 mL끼리 뺄 수 없으면 1 L를 1000 mL로 받아내림하여 계산합니다.

	8 L	500 mL
−	4 L	200 mL
	4 L	300 mL

L는 L끼리 ⌐   ⌐ mL는 mL끼리

3   1000 → 600 mL에서 700 mL를 뺄 수 없으므로 1 L를 1000 mL로 받아내림하여 계산합니다.

	4 L	600 mL
−	2 L	700 mL
	1 L	900 mL

개념 확인 문제

3 알맞은 단위에 ○표 하세요.

(1)

우유갑의 들이는
약 500 (L , mL)입니다.

(2)

냄비의 들이는
약 3 (L , mL)입니다.

4 계산해 보세요.

(1) 2 L 400 mL ＋1 L 300 mL

(2) 3 L 300 mL ＋2 L 500 mL

(3)　　 1 L　600 mL
　 ＋ 4 L　600 mL

(4)　　 2 L　800 mL
　 ＋ 5 L　500 mL

5 계산해 보세요.

(1) 7 L 500 mL －2 L 200 mL

(2) 5 L 400 mL －1 L 300 mL

(3)　　 5 L　400 mL
　 － 2 L　600 mL

(4)　　 8 L　700 mL
　 － 4 L　900 mL

개념 6 무게 비교하기 – 사과와 바나나의 무게 비교하기

방법 1 양손에 물건을 들고 무게 비교하기

두 물건의 무게를 비교하면 사과가 바나나보다 더 무겁습니다. 두 물건의 무게가 비슷할 경우에는 어느 것이 더 무거운지 알기 힘듭니다.

방법 2 저울을 사용하여 무게 비교하기

사과가 놓인 접시가 내려갔으므로 사과가 바나나보다 더 무겁습니다.

방법 3 단위를 사용하여 비교하기

사과가 바나나보다
바둑돌 $25-15=10$(개)만큼
더 무겁습니다.

개념 7 무게의 단위 알아보기 – 킬로그램, 그램, 톤

쓰기	읽기	킬로그램과 그램, 톤과 킬로그램의 관계
1 kg	1 킬로그램	
1 g	1 그램	$1 \, kg = 1000 \, g$
1 t	1 톤	$1 \, t = 1000 \, kg$

• 1 kg보다 500 g 더 무거운 무게

쓰기 1 kg 500 g　　**읽기** 1 킬로그램 500 그램

1 kg은 1000 g과 같으므로 1 kg 500 g은 1500 g입니다.

$$1 \, kg \, 500 \, g = 1500 \, g$$

개념 확인 문제

6-1 무게가 무거운 것부터 순서대로 기호를 써 보세요.

ㄱ 책상   ㄴ 마우스   ㄷ 노트북

(   )

6-2 저울과 100원짜리 동전으로 가위와 풀의 무게를 비교하고 있습니다. 가위와 풀 중 어느 것이 더 무거울까요?

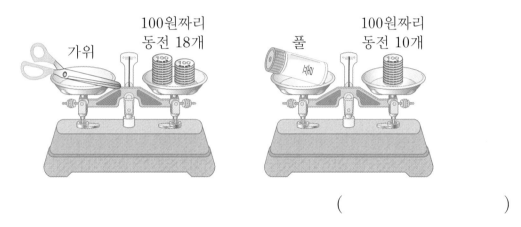

(   )

7-1 주어진 무게를 쓰고 읽어 보세요.

8 kg 200 g

쓰기 _____

읽기 (   )

7-2 ☐ 안에 알맞은 수를 써넣으세요.

(1) 4 kg 600 g = ☐ g   (2) 7 kg 30 g = ☐ g

(3) 3500 g = ☐ kg ☐ g   (4) 9020 g = ☐ kg ☐ g

개념 8 무게를 어림하고 재어 보기

무게를 어림하여 말할 때는 **약 ☐ kg** 또는 **약 ☐ g**이라고 합니다.

배는 바나나가 3개쯤 있는 무게이므로
약 300 g입니다.

책가방은 덤벨이 2개쯤 있는 무게이므로
약 2 kg입니다.

개념 9 무게의 덧셈

kg은 kg끼리 더하고, g은 g끼리 더합니다.
이때 g끼리의 합이 1000 g이거나 1000 g을 넘으면 1000 g을 1 kg으로 받아올림합니다.

	2 kg	400 g
+	1 kg	500 g
	3 kg	900 g

kg은 kg끼리   g은 g끼리

	1	
	3 kg	600 g
+	2 kg	700 g
	6 kg	300 g

600 g+700 g=1300 g이므로
1000 g을 1 kg으로
받아올림합니다.

개념 10 무게의 뺄셈

kg은 kg끼리 빼고, g은 g끼리 뺍니다.
이때 g끼리 뺄 수 없으면 1 kg을 1000 g으로 받아내림하여 계산합니다.

	5 kg	700 g
−	3 kg	400 g
	2 kg	300 g

kg은 kg끼리   g은 g끼리

	5	1000
	6 kg	200 g
−	2 kg	800 g
	3 kg	400 g

200 g에서 800 g을
뺄 수 없으므로
1 kg을 1000 g으로
받아내림하여
계산합니다.

개념 확인 문제

8 알맞은 단위에 ◯표 하세요.

(1)

강아지의 무게는
약 3 (g , kg , t)입니다.

(2)

100원짜리 동전의 무게는
약 5 (g , kg , t)입니다.

9 계산해 보세요.

(1) 2 kg 600 g + 3 kg 200 g

(2) 5 kg 400 g + 1 kg 300 g

(3)
```
    1 kg   800 g
 +  4 kg   500 g
```

(4)
```
    6 kg   700 g
 +  2 kg   700 g
```

10 계산해 보세요.

(1) 8 kg 500 g − 5 kg 200 g

(2) 4 kg 900 g − 2 kg 400 g

(3)
```
    6 kg   200 g
 −  4 kg   700 g
```

(4)
```
    7 kg   500 g
 −  3 kg   800 g
```

교과서 개념 스토리 **여러 가지 그릇의 들이**

준비물 붙임딱지

빈 곳에 알맞은 수만큼 종이컵 붙임딱지를 붙여 보세요.

주전자는 꽃병보다 종이컵 2개만큼 물이 더 들어갑니다.

물병은 분무기보다 종이컵 3개만큼 물이 더 들어갑니다.

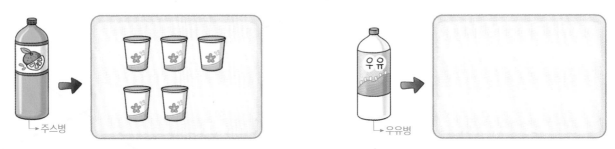

주스병은 우유병보다 종이컵 1개만큼 물이 더 들어갑니다.

들이를 자유롭게 어림해 보세요.

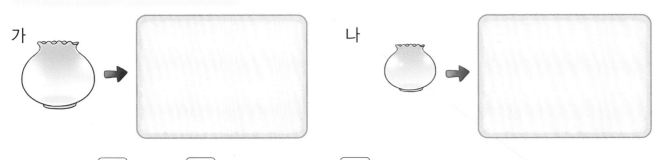

⬜ 어항은 ⬜ 어항보다 종이컵 ⬜개만큼 물이 더 들어갑니다.

두 그릇에 들어 있는 물을 수조에 담아 보세요.

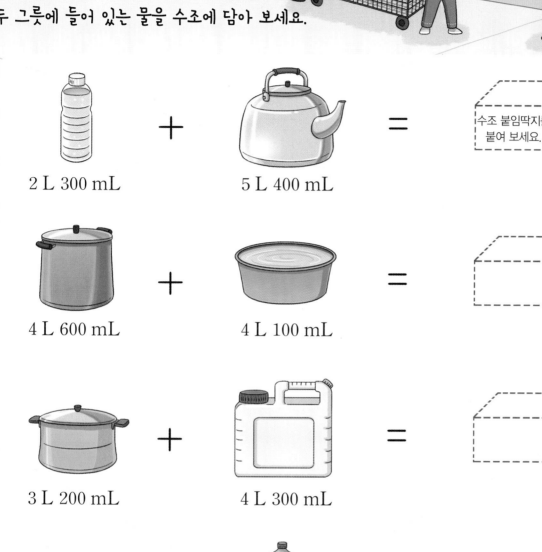

2 L 300 mL   +   5 L 400 mL   =   수조 붙임딱지를
붙여 보세요.

4 L 600 mL   +   4 L 100 mL   =

3 L 200 mL   +   4 L 300 mL   =

1 L 300 mL   +   1 L 900 mL   =

2 L 700 mL   +   5 L 600 mL   =

1
주

교과서

농작물의 무게를 비교하여 빈 접시에 알맞은 수만큼 추 붙임딱지를 붙여 보세요.

토마토는 오이보다 추 3개만큼 더 무겁습니다.

배추는 무보다 추 4개만큼 더 무겁습니다.

무게를 자유롭게 어림하여 추 붙임딱지를 붙이고, 무게를 비교해 보세요.

▢은/는 ▢보다 추 ▢개만큼 더 무겁습니다.

두 농작물을 상자에 담아 보세요. 준비물 붙임딱지

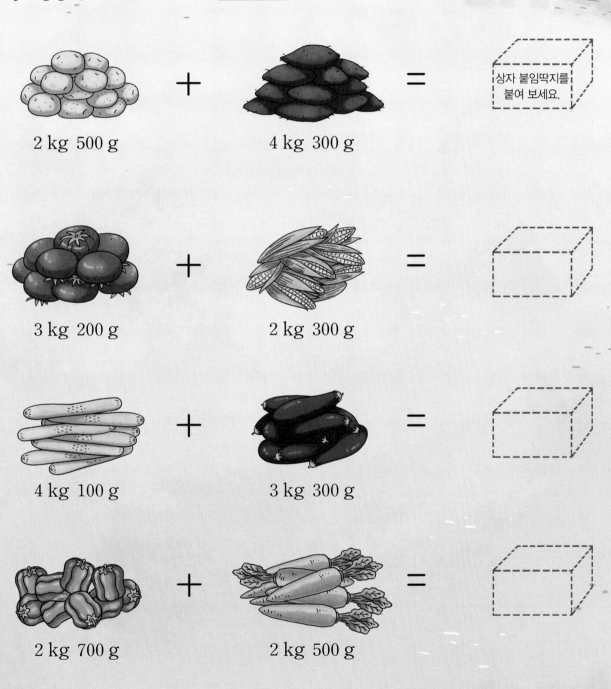

2 kg 500 g + 4 kg 300 g = 상자 붙임딱지를 붙여 보세요.

3 kg 200 g + 2 kg 300 g =

4 kg 100 g + 3 kg 300 g =

2 kg 700 g + 2 kg 500 g =

3 kg 600 g + 2 kg 600 g =

개념1 들이 비교하기

01 가 그릇에 물을 가득 채운 후 나 그릇에 옮겨 담았더니 오른쪽과 같이 물을 채우고 흘러 넘쳤습니다. 가와 나 중 들이가 더 많은 것은 어느 것인지 써 보세요.

( )

02 우유병과 주스병에 물을 가득 채운 후 모양과 크기가 같은 그릇에 각각 옮겨 담았더니 그림과 같이 물이 채워졌습니다. 우유병과 주스병 중에서 들이가 더 많은 것은 어느 것일까요?

( )

03 주전자와 물병에 물을 가득 채운 후 모양과 크기가 같은 컵에 옮겨 담았습니다. □ 안에 알맞은 말이나 수를 써넣으세요.

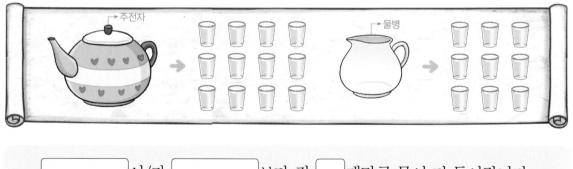

[   ]이/가 [   ]보다 컵 [ ]개만큼 물이 더 들어갑니다.

개념 2 **들이의 단위 알아보기**

04 들이가 같은 것끼리 선으로 이어 보세요.

3 L 700 mL   •   •   3007 mL

3070 mL   •   •   3 L 70 mL

3 L 7 mL   •   •   3700 mL

05 페트병에 우유 1 L와 200 mL를 넣었더니 가득 찼습니다. 페트병의 들이는 몇 L 몇 mL인지 구해 보세요.

(   )

06 오른쪽 주전자의 들이는 4800 mL입니다. 이 주전자의 들이는 몇 L 몇 mL일까요?

(   )   4800 mL

개념 3 들이의 덧셈과 뺄셈

07 ☐ 안에 알맞은 수를 써넣으세요.

(1) 2 L 200 mL

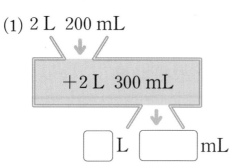

+2 L 300 mL

☐ L ☐ mL

(2) 7 L 400 mL

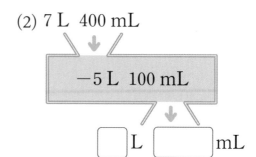

−5 L 100 mL

☐ L ☐ mL

08 들이의 계산 결과를 비교하여 ○ 안에 >, =, <를 알맞게 써넣으세요.

2 L 400 mL + 2 L 100 mL 8 L 300 mL − 3 L 700 mL

09 다음 두 그릇의 들이의 합은 몇 L 몇 mL인지 구해 보세요.

1 L 600 mL

2 L 850 mL

( )

개념 4 무게 비교하기

10 무게가 무거운 것부터 순서대로 기호를 써 보세요.

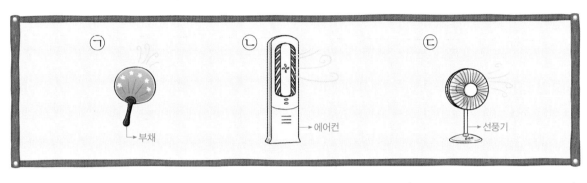

( )

11 저울과 바둑돌로 오렌지와 토마토의 무게를 비교하고 있습니다. 어느 것이 얼마나 더 무거운지 ☐ 안에 알맞은 말이나 수를 써넣으세요.

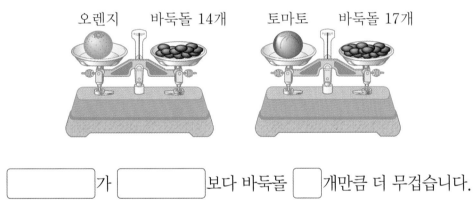

┌─────────┐ ┌─────────┐   ☐
│   │가 │   │보다 바둑돌 ☐ 개만큼 더 무겁습니다.
└─────────┘ └─────────┘

12 저울에 배, 포도, 감을 올렸더니 다음과 같이 기울어졌습니다. 배, 포도, 감 중에서 가장 가벼운 과일은 무엇인지 써 보세요.

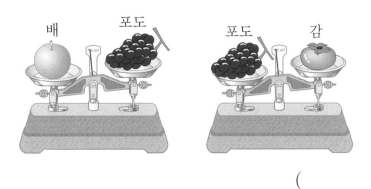

( )

개념 5 무게의 단위 알아보기

13 저울의 눈금을 보고 호박은 몇 kg 몇 g인지 구해 보세요.

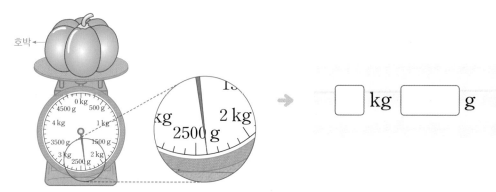

→ ☐ kg ☐ g

14 무게가 같은 것끼리 선으로 이어 보세요.

4 kg 300 g   •   •   7 kg 20 g

5000 kg   •   •   4300 g

7020 g   •   •   5 t

15 동물원에 있는 코끼리의 무게는 4 t입니다. 이 코끼리의 무게는 몇 kg인지 써 보세요.

(   )

개념 6 **무게의 덧셈과 뺄셈**

16 ☐ 안에 알맞은 수를 써넣으세요.

(1) 2 kg 320 g

$+3$ kg 180 g

☐ kg ☐ g

(2) 3400 g

-2100 g

☐ kg ☐ g

17 헤미가 딴 사과의 무게는 2 kg 600 g이고, 가영이가 딴 사과의 무게는 1 kg 900 g입니다. 두 사람이 딴 사과의 무게는 모두 몇 kg 몇 g인지 구해 보세요.

( )

18 은우가 가방을 메고 저울에 올라가면 무게가 38 kg 800 g이고, 가방을 메지 않고 저울에 올라가면 무게가 36 kg 500 g입니다. 가방의 무게는 몇 kg 몇 g인지 구해 보세요.

38 kg 800 g   36 kg 500 g

( )

1주 교과서

★ 단위가 다른 들이 비교하기

1 들이가 더 많은 샴푸통의 기호를 써 보세요.

가 　　　　　　　　　나

1 L 90 mL　　　　　　　　1200 mL

 답 _____

> **개념 피드백** 단위가 다른 들이를 비교할 때에는 1 L＝1000 mL임을 이용하여 같은 단위로 통일한 다음 비교합니다.

1-1 들이를 비교하여 ○ 안에 ＞, ＝, ＜를 알맞게 써넣으세요.

(1)　　　2970 mL　　　　○　　　　3 L

(2)　　　1060 mL　　　　○　　　　1 L 600 mL

1-2 들이가 많은 것부터 순서대로 기호를 써 보세요.

| ㉠ 3750 mL | ㉡ 3 L |
| ㉢ 3 L 570 mL | ㉣ 2900 mL |

(　　　　　　　　　　　)

1
주
교과서

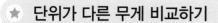

★ 단위가 다른 무게 비교하기

2 무게가 더 무거운 고양이의 기호를 써 보세요.

가

2 kg 100 g

나

2050 g

 답 _____

개념 피드백 단위가 다른 무게를 비교할 때에는 1 kg＝1000 g임을 이용하여 같은 단위로 통일한 다음 비교합니다.

2-1 무게를 비교하여 ◯ 안에 ＞, ＝, ＜를 알맞게 써넣으세요.

(1)　　　4250 g　　　◯　　　4 kg 500 g

(2)　　　2300 g　　　◯　　　2 kg 50 g

2-2 무게가 무거운 것부터 순서대로 기호를 써 보세요.

ㄱ 2 kg 630 g　　　ㄴ 2063 g
ㄷ 2800 g　　　ㄹ 2 kg 360 g

(　　　　　　　　　　　　　)

★ **들이의 덧셈, 뺄셈의 활용**

3 2 L 700 mL의 물이 들어 있는 수조에 1 L 900 mL의 물을 더 부었습니다.
수조에 있는 물은 모두 몇 L 몇 mL인지 식을 쓰고 답을 구해 보세요.

식 _____

답 _____

**개념
피드백** • 들이의 덧셈과 뺄셈

① L는 L끼리 계산하고, mL는 mL끼리 계산합니다.

② mL끼리의 합이 1000 mL이거나 1000 mL를 넘으면 1000 mL를 1 L로 받아올림합니다.

또, mL끼리 뺄 수 없으면 1 L를 1000 mL로 받아내림하여 계산합니다.

3-1 주영이는 식혜 3 L 500 mL 중에서 1 L 800 mL를 친구들과 마셨습니다. 남은 식
혜는 몇 L 몇 mL인지 식을 쓰고 답을 구해 보세요.

식 _____

답 _____

3-2 물이 1분에 2 L 450 mL씩 나오는 수도가 있습니다. 이 수
도로 3분 동안 받을 수 있는 물의 양은 모두 몇 L 몇 mL인
지 구해 보세요.

(   )

★ **무게의 덧셈, 뺄셈의 활용**

4 감자를 준호는 7 kg 500 g 캤고 승기는 5 kg 600 g 캤습니다. 두 사람이 캔 감자는 모두 몇 kg 몇 g인지 식을 쓰고 답을 구해 보세요.

식 _____

답 _____

1주 교과서

개념 피드백

• 무게의 덧셈과 뺄셈
① kg은 kg끼리 계산하고, g은 g끼리 계산합니다.
② g끼리의 합이 1000 g이거나 1000 g을 넘으면 1000 g을 1 kg으로 받아올림합니다.
   또, g끼리 뺄 수 없으면 1 kg을 1000 g으로 받아내림하여 계산합니다.

4-1 가장 무거운 무게와 가장 가벼운 무게의 차는 몇 kg 몇 g인지 구해 보세요.

| 3750 g | 3 kg 570 g | 2 kg 400 g |

(   )

4-2 고양이의 무게는 2 kg 690 g이고 강아지의 무게는 고양이의 무게의 2배입니다. 강아지의 무게는 몇 kg 몇 g인지 구해 보세요.

(   )

2 kg 690 g

★ **옮겨 담은 컵의 수로 들이 비교하기**

5 ㉮ 물통과 ㉯ 물통에 물을 가득 채운 후 모양과 크기가 같은 작은 컵에 옮겨 담았습니다. ㉮ 물통의 들이는 ㉯ 물통의 들이의 몇 배인지 구해 보세요.

답 _____

개념 피드백 ㉮ 물통의 들이가 ㉯ 물통의 들이의 몇 배인지 알아보려면 (㉮ 물통의 들이)÷(㉯ 물통의 들이)를 계산합니다.

5-1 ㉮ 그릇과 ㉯ 그릇에 물을 가득 채운 후 모양과 크기가 같은 작은 컵에 옮겨 담았습니다. ㉯ 그릇의 들이는 ㉮ 그릇의 들이의 몇 배인지 구해 보세요.

(   )

5-2 ㉮, ㉯, ㉰ 그릇에 물을 가득 채운 후 모양과 크기가 같은 작은 컵에 옮겨 담았습니다. 들이가 가장 많은 그릇의 들이는 들이가 가장 적은 그릇의 들이의 몇 배인지 구해 보세요.

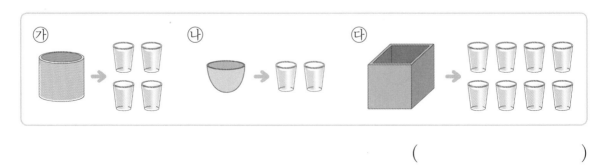

(   )

★ 더 가깝게 어림한 것 찾기

6 들이가 2 L 700 mL인 세탁 세제 통의 들이를 다음과 같이 어림하였습니다. 실제 들이에 더 가깝게 어림한 쪽에 ○표 하세요.

약 2 L 500 mL   약 2 L 850 mL

(   )   (   )

2 L 700 mL

6-1 무게가 2 kg인 설탕 봉지를 민재는 1 kg 800 g으로 어림하였고 동호는 2 kg 60 g으로 어림하였습니다. 민재와 동호 중 실제 무게에 더 가깝게 어림한 친구는 누구일까요?

(   )

6-2 실제 무게가 오른쪽과 같은 배추의 무게를 친구들이 다음과 같이 어림하였습니다. 실제 무게에 가장 가깝게 어림한 친구는 누구인지 써 보세요.

영진: 배추의 무게는 약 1 kg이야.
보영: 배추의 무게는 약 950 g이야.
종호: 배추의 무게는 약 1300 g이야.

(   )

1 1 L 700 mL씩 들어 있는 주스가 2병 있었는데 그중 2 L 200 mL를 마셨습니다. 남은 주스는 몇 L 몇 mL인지 구해 보세요.

✏️ 구하려는 것, 주어진 것에 선을 그어 봅니다.

해결하기 처음에 있던 주스의 양은

1 L 700 mL+1 L 700 mL=☐ L ☐ mL입니다.

따라서 남은 주스의 양은

☐ L ☐ mL−2 L 200 mL=☐ L ☐ mL입니다.

답 구하기 ☐

---

2 혜미네 가족은 2 L씩 들어 있는 생수를 3통 사서 4 L 800 mL를 마셨습니다. 남은 생수는 몇 L 몇 mL인지 구해 보세요.

✏️ 구하려는 것, 주어진 것에 선을 그어 봅니다.

해결하기

답 구하기

3 민수의 몸무게는 34 kg 600 g이고, 동호는 민수보다 3 kg 700 g 더 무겁습니다. 민수와 동호의 몸무게의 합은 몇 kg 몇 g인지 구해 보세요.

✎ 구하려는 것, 주어진 것에 선을 그어 봅니다.

해결하기 동호의 몸무게는

34 kg 600 g+3 kg 700 g= ⬜ kg ⬜ g입니다.

따라서 민수와 동호의 몸무게의 합은

34 kg 600 g+ ⬜ kg ⬜ g= ⬜ kg ⬜ g입니다.

답 구하기 ⬜

4 승민이의 몸무게는 38 kg 500 g이고, 윤아는 승민이보다 2 kg 800 g 더 가볍습니다. 승민이와 윤아의 몸무게의 합은 몇 kg 몇 g인지 구해 보세요.

✎ 구하려는 것, 주어진 것에 선을 그어 봅니다.

해결하기

답 구하기

양동이에 가득 채운 물을 주어진 들이의 그릇에 옮겨 담으려고 합니다. 그릇을 몇 개까지 채울 수 있는지 붙임딱지를 더 붙여 보세요.

2 L → 우유 500 mL

3 L → 600 mL

3 L → 1 L 500 mL

3 L 600 mL → 1 L 200 mL

4 L 500 mL → 1 L 500 mL

4 L 800 mL

1 L 200 mL

6 L

1 L 200 mL

6 L

1 L 500 mL

7 L

1 L 400 mL

7 L 500 mL

1 L 500 mL

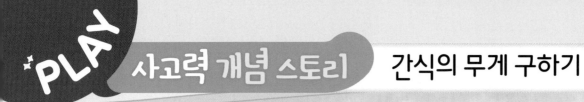

PLAY 사고력 개념 스토리 | 간식의 무게 구하기

준비물 ▶ 붙임딱지

찜질방에서 친구들이 간식을 들고 저울에 올라갔습니다. 친구들이 들고 있는 간식 쟁반의 무게를 구하여 알맞은 붙임딱지를 붙여 보세요.

내 몸무게는
36 kg 200 g이야.

38 kg 100 g

내 몸무게는
35 kg 500 g이야.

37 kg 900 g

내 몸무게는
34 kg 300 g이야.

37 kg

내 몸무게는
33 kg 900 g이야.

37 kg 200 g

내 몸무게는
34 kg 500 g이야.

37 kg 900 g

내 몸무게는
35 kg 700 g이야.

39 kg 200 g

1 음료수통의 들이를 조사하였습니다. 들이가 가장 많은 음료수통과 들이가 가장 적은 음료수통을 각각 찾아 기호를 써 보세요.

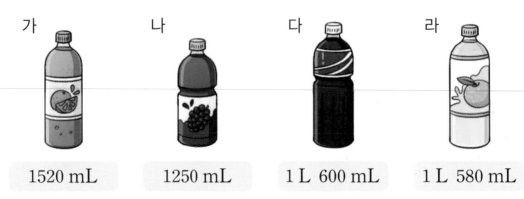

가	나	다	라
1520 mL	1250 mL	1 L 600 mL	1 L 580 mL

① 음료수통 다의 들이는 몇 mL일까요?

(   )

② 음료수통 라의 들이는 몇 mL일까요?

(   )

③ 들이가 가장 많은 음료수통을 찾아 기호를 써 보세요.

(   )

④ 들이가 가장 적은 음료수통을 찾아 기호를 써 보세요.

(   )

2 반려동물의 무게를 조사했습니다. 무게가 가장 무거운 반려동물과 무게가 가장 가벼운 반려동물을 각각 찾아 기호를 써 보세요.

가	나	다	라
1 kg 90 g	1840 g	1 kg 780 g	1800 g

1 반려동물 가의 무게는 몇 g일까요?

( )

2 반려동물 다의 무게는 몇 g일까요?

( )

3 무게가 가장 무거운 반려동물을 찾아 기호를 써 보세요.

( )

4 무게가 가장 가벼운 반려동물을 찾아 기호를 써 보세요.

( )

3 떡볶이 1인분을 만들기 위해서 필요한 재료입니다. 떡볶이를 10인분 만들었더니 간장 2 L 850 mL, 물엿 1 L 900 mL가 남았습니다. 떡볶이를 만들기 전에 있었던 간장과 물엿은 각각 몇 L 몇 mL인지 구해 보세요.

떡볶이 재료(1인분)

떡 350g 어묵 270g
대파 70g 고추장 25g
간장 35mL 물엿 44mL

① 떡볶이를 10인분 만드는 데 필요한 간장은 몇 mL일까요?

( )

② 떡볶이를 10인분 만드는 데 필요한 물엿은 몇 mL일까요?

( )

③ 떡볶이를 만들기 전에 있었던 간장과 물엿은 각각 몇 L 몇 mL인지 구해 보세요.

간장 ( )
물엿 ( )

4 혜영이는 농장에서 딴 사과 9개를 바구니에 담아 무게를 재었더니 다음과 같았습니다. 빈 바구니의 무게가 300 g이라면 사과 한 개의 무게는 몇 g인지 구해 보세요. (단, 사과 1개의 무게는 각각 같습니다.)

① 사과 9개를 담은 바구니의 무게는 몇 g일까요?

( )

② 사과 9개의 무게는 몇 g일까요?

( )

③ 사과 한 개의 무게는 몇 g일까요?

( )

1 A 마트와 B 마트에서는 양파를 다음과 같이 담아서 팔고 있습니다. 3000원으로 더 많은 양의 양파를 살 수 있는 마트는 어디인지 구해 보세요.

① 3000원으로 A 마트에서 살 수 있는 양파는 몇 kg 몇 g일까요?

( )

② 3000원으로 B 마트에서 살 수 있는 양파는 몇 kg 몇 g일까요?

( )

③ A 마트와 B 마트 중 어느 마트에서 3000원으로 더 많은 양의 양파를 살 수 있을까요?

( )

2 가 어항에는 물이 2 L 들어 있고 나 어항에는 물이 600 mL 들어 있습니다. 두 어항의 물의 양이 같아지려면 가 어항에서 나 어항으로 물을 몇 mL 옮겨야 하는지 구해 보세요.

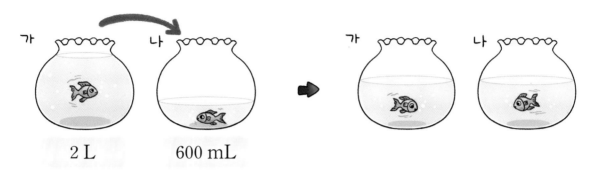

2 L   600 mL

❶ 가와 나 어항에 들어 있는 물의 양은 모두 몇 L 몇 mL일까요?

(   )

❷ 두 어항의 물의 양이 같아지려면 한 어항에 물을 몇 L 몇 mL씩 담아야 할까요?

(   )

❸ 두 어항의 물의 양이 같아지려면 가 어항에서 나 어항으로 물을 몇 mL 옮겨야 할까요?

(   )

3 오이 5개의 무게와 무 2개의 무게를 재었더니 다음과 같았습니다. 오이 3개와 무 3개의 무게의 합은 몇 kg 몇 g인지 구해 보세요. (단, 같은 종류의 채소 1개의 무게는 각각 같습니다.)

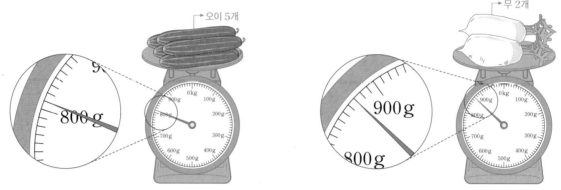

① 오이 한 개의 무게는 몇 g일까요?

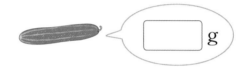

g

② 무 한 개의 무게는 몇 g일까요?

g

③ 오이 3개와 무 3개의 무게의 합은 몇 kg 몇 g일까요?

(   )

4 무게가 같은 야구공 5개를 상자에 담아 무게를 재어 보니 1 kg 900 g이었습니다. 그중에서 야구공 2개를 빼낸 후 다시 무게를 재어 보니 1 kg 600 g이었습니다. 상자만의 무게는 몇 g인지 구해 보세요.

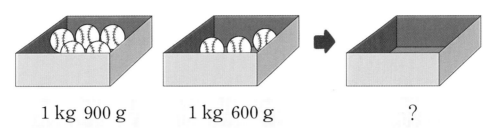

1 kg 900 g   1 kg 600 g   ?

① 빼낸 야구공 2개의 무게는 몇 g일까요?

(   )

② 야구공 1개의 무게는 몇 g일까요?

(   )

③ 상자만의 무게는 몇 kg 몇 g일까요?

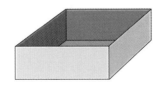

상자만의 무게는 [   ] 입니다.

1 들이가 5 L인 수조에 물이 1 L 750 mL만큼 들어 있습니다. 400 mL 들이의 비커로 물을 적어도 몇 번 더 부어야 수조를 가득 채울 수 있는지 구해 보세요.

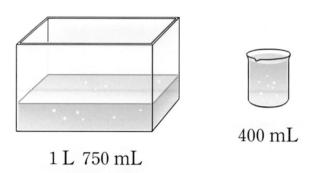

1 L 750 mL   400 mL

❶ 수조를 가득 채우려면 물이 몇 L 몇 mL 더 필요할까요?

(   )

❷ 수조를 가득 채우기 위해 더 부어야 하는 물의 양은 몇 mL일까요?

(   )

❸ 400 mL 들이의 비커로 물을 적어도 몇 번 더 부어야 수조를 가득 채울 수 있을까요?

(   )

평가 영역 ☐개념 이해력 ☑개념 응용력 ☐창의력 ☐문제 해결력

2 수도꼭지가 고장나서 10초 동안 8 mL의 물이 샙니다. 1시간 동안 새는 물은 모두 몇 L 몇 mL인지 구해 보세요. (단, 수도꼭지에서 새는 물의 양은 일정합니다.)

(   )

평가 영역 ☐개념 이해력 ☐개념 응용력 ☑창의력 ☐문제 해결력

3 혹등고래와 코끼리의 무게를 합하면 36 t입니다. 혹등고래의 무게는 코끼리의 무게의 5배입니다. 혹등고래의 무게는 몇 t인지 구해 보세요.

① 혹등고래와 코끼리의 무게의 합은 코끼리의 무게의 몇 배일까요?

(   )

② 코끼리의 무게는 몇 t일까요?

(   )

③ 혹등고래의 무게는 몇 t일까요?

(   )

1 각 그릇에 물을 가득 담아서 모양과 크기가 같은 그릇에 각각 부었습니다. 들이가 많은 것부터 순서대로 1, 2, 3을 써 보세요.

(   )   (   )   (   )

2 ☐ 안에 알맞은 수를 써넣으세요.

(1) $3 \text{ L } 250 \text{ mL} = \boxed{} \text{ mL}$

(2) $8760 \text{ mL} = \boxed{} \text{ L } \boxed{} \text{ mL}$

3 어느 단위를 사용하여 무게를 재면 편리할지 알맞은 단위에 ○표 하세요.

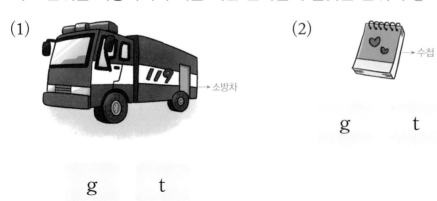

(1)   →소방차

g   t

(2)   →수첩

g   t

4 무게가 같은 것끼리 선으로 이어 보세요.

7 t ·   · 7020 g

7 kg 200 g ·   · 7200 g

7 kg 20 g ·   · 7000 kg

5 들이를 비교하여 ○ 안에 >, =, <를 알맞게 써넣으세요.

6250 mL 6 L 520 mL

6 ☐ 안에 알맞은 수를 써넣으세요.

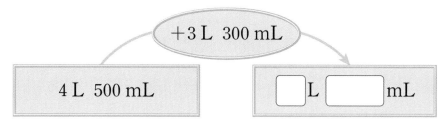

7 계산해 보세요.

(1)   8 kg   300 g
     − 2 kg   700 g

(2)   10 kg   250 g
     − 4 kg   800 g

8 무게가 무거운 것부터 순서대로 기호를 써 보세요.

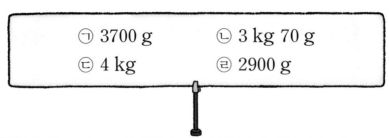

> ㉠ 3700 g   ㉡ 3 kg 70 g
>
> ㉢ 4 kg   ㉣ 2900 g

(   )

9 ☐ 안에 알맞은 수를 써넣으세요.

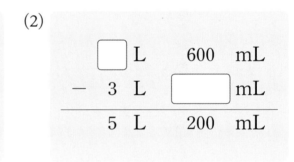

(1)

```
    4  L  ☐ mL
  + ☐ L    300  mL
  ─────────────────
    6  L    800  mL
```

(2)

```
    ☐ L    600  mL
  - 3  L   ☐ mL
  ─────────────────
    5  L    200  mL
```

10 사이다가 2 L 400 mL 있습니다. 진영이와 친구들이 그중에서 1 L 150 mL를 마셨습니다. 남은 사이다는 몇 L 몇 mL인지 구해 보세요.

(   )

11 가장 무거운 물건과 가장 가벼운 물건의 무게의 차는 몇 kg 몇 g인지 구해 보세요.

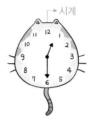

소파 8 kg 400 g   전자레인지 3 kg 300 g   시계 1 kg 700 g

(   )

12 똑같은 양동이에 물을 가득 채우려면 ㉮ 그릇과 ㉯ 그릇으로 각각 다음과 같이 부어야 합니다. ㉮와 ㉯ 중 어느 그릇의 들이가 더 많을까요?

㉮	㉯
11번	8번

(   )

13 들이가 2 L 300 mL인 물통이 있습니다. 이 물통의 들이를 친구들이 다음과 같이 어림하였습니다. 어림을 가장 잘한 친구는 누구인지 써 보세요.

혜연	호동	수근
2 L 100 mL	2 L	2 L 400 mL

(   )

14 민재의 몸무게는 35 kg 800 g이고 준호는 민재보다 1 kg 500 g 더 무겁습니다. 두 사람의 몸무게의 합은 몇 kg 몇 g인지 구해 보세요.

(   )

15 ㉮ 비커에는 1 L의 물이 들어 있고 ㉯ 비커에는 400 mL의 물이 들어 있습니다. 두 비커의 물의 양이 같아지려면 ㉮ 비커에서 ㉯ 비커로 물을 몇 mL 옮겨야 하는지 구해 보세요.

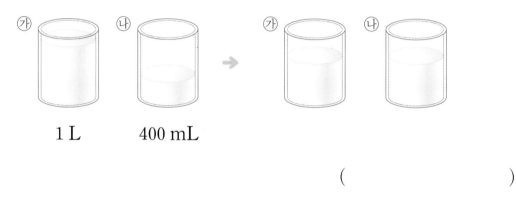

1 L   400 mL

(   )

16 무게가 같은 참외 5개를 바구니에 담아 무게를 재었더니 다음과 같았습니다. 빈 바구니의 무게가 400 g이라면 참외 1개의 무게는 몇 g인지 구해 보세요.

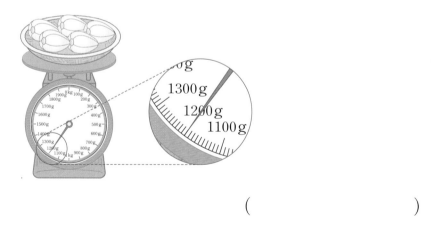

(   )

1 재희네 가족은 하루에 물을 각각 2 L씩 마시기로 계획을 세웠는데 엄마와 아빠가 아 직 목표량을 채우지 못했습니다. 목표량만큼 마시기 위해 더 마셔야 하는 물의 양은 엄마와 아빠 중 누가 몇 mL 더 많은지 구해 보세요.

(1) 목표량만큼 마시려면 엄마는 몇 mL를 더 마셔야 할까요?

( )

(2) 목표량만큼 마시려면 아빠는 몇 mL를 더 마셔야 할까요?

( )

(3) 목표량만큼 마시기 위해 더 마셔야 하는 물의 양은 엄마와 아빠 중 누가 몇 mL 더 많은지 차례로 써 보세요.

( ), ( )

6 자료의 정리

단원과 관련된
자료의 정리에 대한
이야기를 살펴보아요.

자료의 조사와 정리

정수네 반 담임 선생님께서는 학생들이 좋아하는 간식을 조사해서 수가 가장 많은 간식을 수요일 점심 시간에 사 주기로 약속하셨습니다. 각자 먹고 싶은 간식을 골라 게시판에 붙임딱지를 붙였습니다. 선생님께서 사 주실 간식을 알아볼까요?

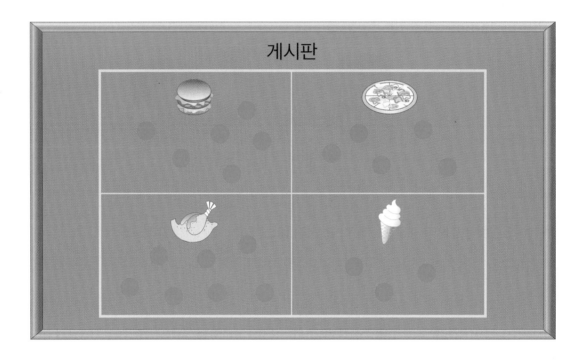

게시판에 붙인 붙임딱지를 보고 어느 간식이 가장 인기가 있는지 한눈에 알아보기 어렵습니다.
그래서 선생님께서는 조사한 자료를 표와 그래프로 나타내어 보기로 했습니다.

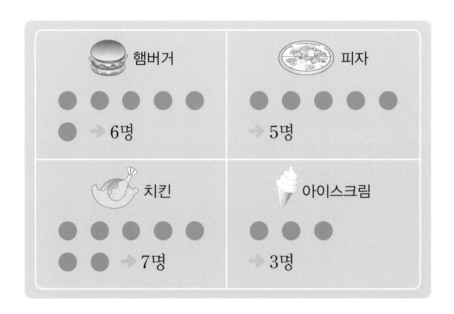

조사한 자료를 표로 나타내어 보세요.

좋아하는 간식별 학생 수

간식	햄버거	피자	치킨	아이스크림	합계
학생 수(명)	6				

조사한 자료를 그래프로 나타내어 보세요.

좋아하는 간식별 학생 수

7				
6	◯			
5	◯			
4	◯			
3	◯			
2	◯			
1	◯			
학생 수(명) / 간식	햄버거	피자	치킨	아이스크림

선생님께서 사 주실 간식은 무엇일까요?

(   )

개념 **1** 표 알아보기

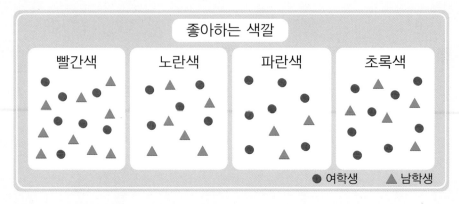

- 표를 보고 알 수 있는 내용

좋아하는 색깔별 학생 수

색깔	빨간색	노란색	파란색	초록색	합계
학생 수(명)	16	11	10	13	50

① 가장 많은 학생이 좋아하는 색깔은 빨간색입니다.

② 초록색을 좋아하는 학생은 13명입니다.

③ 빨간색을 좋아하는 학생은 파란색을 좋아하는 학생보다 6명 더 많습니다.
　　└▶ 16명　　　　　　　└▶ 10명　　　　　　└▶ 16－10＝6(명)

- 표를 다른 방법으로 나타내기 ― 여학생과 남학생으로 나누어 나타내기

좋아하는 색깔별 학생 수

색깔	빨간색	노란색	파란색	초록색	합계
여학생 수(명)	7	5	7	8	27
남학생 수(명)	9	6	3	5	23

① 가장 많은 여학생이 좋아하는 색깔은 초록색입니다.

② 가장 많은 남학생이 좋아하는 색깔은 빨간색입니다.

③ 노란색을 좋아하는 학생은 남학생이 여학생보다 1명 더 많습니다.
　　　　　　　　　　　　　└▶ 6－5＝1(명)

참고 표의 특징

① 각 항목별 수를 알기 쉽습니다.

② 조사한 수의 합계를 알기 쉽습니다.

개념 확인 문제

[1-1~1-4] 영지네 반 학생들이 좋아하는 간식을 조사하여 표로 나타내었습니다. 물음에 답하세요.

좋아하는 간식별 학생 수

간식	피자	핫도그	치킨	떡볶이	합계
학생 수(명)	4	6		7	26

1-1 치킨을 좋아하는 학생은 몇 명일까요?

( )

1-2 가장 많은 학생이 좋아하는 간식은 무엇일까요?

( )

1-3 치킨을 좋아하는 학생은 핫도그를 좋아하는 학생보다 몇 명 더 많은지 구해 보세요.

( )

1-4 많은 학생들이 좋아하는 간식부터 순서대로 써 보세요.

( )

자료를 수집하는 방법에는 직접 손을 들거나 붙임딱지 붙이기 등이 있습니다.

개념 2 자료를 수집하여 표로 나타내기

① 어떤 자료를 수집할지 정하기

② 자료를 수집할 대상 정하기

③ 자료의 수집 방법 정하기

④ 조사한 결과를 표로 나타내기

예 학생들의 혈액형을 조사하여 표로 나타내기

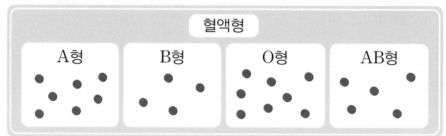

학생들의 혈액형을 알아볼까요?

자료를 수집할 대상은 수지네 반 학생들입니다.

자료를 수집한 방법은 붙임딱지 붙이기입니다.

조사한 결과를 표로 나타내어 봅니다.

혈액형별 학생 수

혈액형	A형	B형	O형	AB형	합계
학생 수(명)	7	4	8	5	24

• 표로 나타낼 때 유의할 점

① 조사 내용에 알맞은 제목을 정합니다.

② 조사 항목의 수에 맞게 칸을 나눕니다.

③ 조사 내용에 알맞게 빈칸을 채웁니다.

④ 합계가 맞는지 확인합니다.
　　└→ 7+4+8+5=24(명)

개념 확인 문제

[2-1~2-4] 수호네 반 학생들이 좋아하는 운동을 조사한 것입니다. 물음에 답하세요.

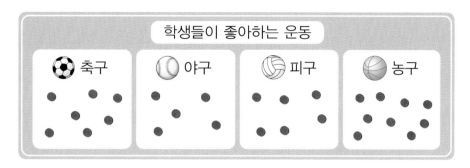

2-1 알맞은 말에 ◯표 하세요.

> 수호네 반 학생들이 좋아하는 운동을 수집한 방법은
> (직접 손 들기 , 붙임딱지 붙이기)입니다.

2-2 자료를 수집할 대상은 누구일까요?

(   )

2-3 조사한 자료를 보고 표를 나타내어 보세요.

좋아하는 운동별 학생 수

운동	축구	야구	피구	농구	합계
학생 수(명)					

2-4 가장 많은 학생이 좋아하는 운동을 써 보세요.

(   )

개념 **3** 그림그래프 알아보기

알려고 하는 수(조사한 수)를 그림으로 나타낸 그래프를 **그림그래프**라고 합니다.

모둠별 캔 감자의 양 ← 그림그래프의 제목

모둠	캔 감자의 양
㉮ 모둠	
㉯ 모둠	
㉰ 모둠	
㉱ 모둠	

10 kg   1 kg

- 는 10 kg, 는 1 kg을 나타내는 그림입니다.

- ㉮ 모둠은 이 3개, 이 4개이므로
  34 kg입니다.

- ㉯ 모둠은 이 2개, 이 5개이므로
  25 kg입니다.

- ㉰ 모둠은 이 3개, 이 2개이므로
  32 kg입니다.

- ㉱ 모둠은 이 4개, 이 1개이므로
  41 kg입니다.

- 41 > 34 > 32 > 25이므로
  가장 많은 양의 감자를 캔 모둠은 ㉱ 모둠입니다.

- 25 < 32 < 34 < 41이므로
  가장 적은 양의 감자를 캔 모둠은 ㉯ 모둠입니다.

- ㉮ 모둠은 ㉰ 모둠보다 2 kg 더 많이 캤습니다.
  └→ 34−32=2 (kg)

> 그림그래프는
> 그림 크기에 따라
> 나타내는 수량이
> 달라요.

➡ 그림그래프는 모둠별 캔 감자의 양을 한눈에 비교하기 편리합니다.

개념 확인 문제

[3-1~3-4] 민지네 마을의 과수원별 사과 수확량을 그림그래프로 나타내었습니다. 물음에 답하세요.

과수원별 사과 수확량

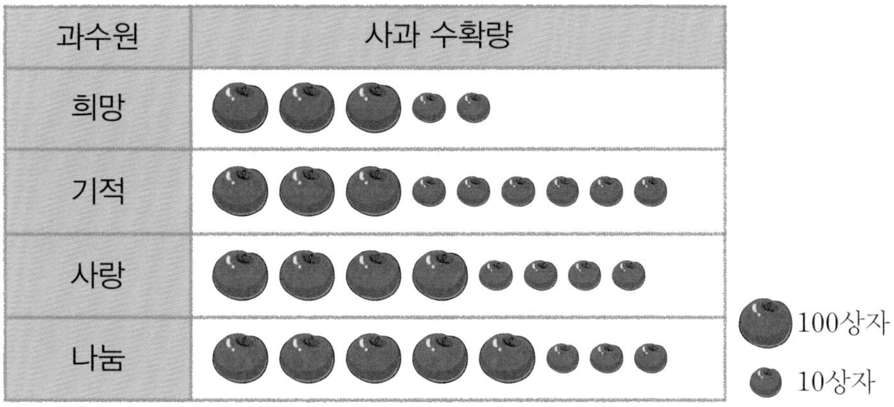

과수원	사과 수확량
희망	
기적	
사랑	
나눔	

100상자
10상자

3-1  🍎와 ●는 각각 몇 상자를 나타내는지 써 보세요.

🍎 ( )

● ( )

3-2 기적 마을의 사과 수확량은 몇 상자일까요?

( )

3-3 사과를 가장 많이 수확한 과수원은 어느 과수원이고, 몇 상자 수확했는지 차례로 써 보세요.

( ), ( )

3-4 사랑 과수원은 희망 과수원보다 사과 수확량이 몇 상자 더 많은지 구해 보세요.

( )

개념 4 그림그래프로 나타내기

아파트 동별 심은 나무 수

동	101동	102동	103동	104동	합계
나무 수(그루)	36	24	47	33	140

① 그림을 몇 가지로 나타낼 것인지 정합니다.

　➡ 예 2가지(◎: 10그루, ○: 1그루)

② 조사한 수에 맞게 그림을 그립니다.

③ 알맞은 제목을 붙입니다.

표는 자료의 수와 합계를 쉽게 알 수 있습니다.

아파트 동별 심은 나무 수

동	나무 수
101동	◎ ◎ ◎ ○ ○ ○ ○ ○ ○
102동	◎ ◎ ○ ○ ○ ○
103동	◎ ◎ ◎ ◎ ○ ○ ○ ○ ○ ○ ○
104동	◎ ◎ ◎ ○ ○ ○

◎ 10그루　　○ 1그루

➡ 그림그래프는 각각의 자료의 수와 크기를 한눈에 비교할 수 있습니다.

참고 3가지 그림으로 나타내기

아파트 동별 심은 나무 수

동	나무 수
101동	◎ ◎ ◎ ◯ ○
102동	◎ ◎ ○ ○ ○ ○
103동	◎ ◎ ◎ ◎ ◯ ○ ○
104동	◎ ◎ ◎ ○ ○ ○

└→ 그림을 그려야 하는 횟수를 줄여 간단하게 나타낼 수 있습니다.

◎ 10그루　　◯ 5그루　　○ 1그루

개념 확인 문제

[4-1~4-4] 영호네 학교 3학년 반별 학급문고에 있는 책 수를 조사하여 표로 나타내었습니다.
물음에 답하세요.

반별 학급문고에 있는 책 수

반	1반	2반	3반	4반	합계
책 수(권)	23	31	24	33	111

4-1 표를 보고 그림그래프로 나타내려고 합니다. 그림을 몇 가지로 나타내는 것이 좋은지
○표 하세요.

(1가지 , 2가지)

4-2 표를 보고 그림그래프를 완성해 보세요.

반별 학급문고에 있는 책 수

반	책 수
1반	
2반	
3반	
4반	

◎ 10권
○ 1권

4-3 책 수가 가장 많은 반은 어느 반인지 써 보세요.

(   )

4-4 학급문고에 있는 책 수의 합계를 알아보는 데는 표와 그림그래프 중 어느 것인 더 편
리한지 써 보세요.

(   )

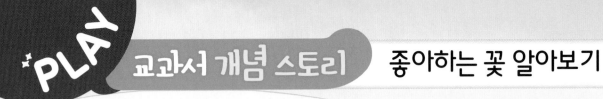

준비물 붙임딱지

친구들이 좋아하는 꽃을 붙임딱지 붙이기 방법으로 조사해 보세요.
자료를 보고 표로 나타내어 보고, 알게 된 점을 써 보세요.

좋아하는 꽃

장미	코스모스
튤립	해바라기

좋아하는 꽃

꽃	장미	코스모스	튤립	해바라기	합계
학생 수(명)					

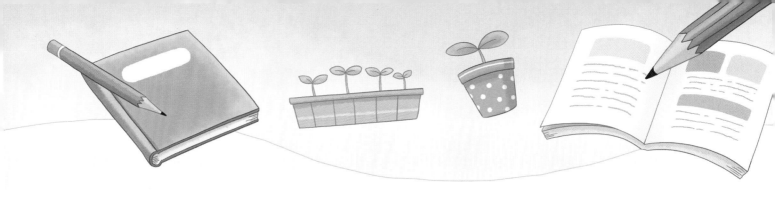

좋아하는 꽃

장미
코스모스
튤립
해바라기

여학생 ● 남학생 ▲

좋아하는 꽃

꽃	장미	코스모스	튤립	해바라기	합계
여학생 수(명)					
남학생 수(명)					

준비물 ◀ 붙임딱지

농장에서 기르고 있는 닭의 수를 보고 표와 그림그래프로 나타내어 보세요.

농장별 닭의 수

농장	가 농장	나 농장	다 농장	라 농장	합계
닭의 수 (마리)					

농장별 닭의 수

농장	닭의 수
가 농장	
나 농장	
다 농장	
라 농장	

10마리 1마리

표와 그림그래프를 보고 알 수 있는 점

닭의 수가 가장 많은 농장은 다 농장입니다.

개념 1 표를 보고 내용 알아보기(1)

01 가은이네 반 학생들이 좋아하는 동물을 조사하여 표로 나타내었습니다. 물음에 답하세요.

좋아하는 동물별 학생 수

동물	강아지	고양이	사자	토끼	합계
학생 수(명)	11	8	9	5	33

(1) 가장 많은 학생이 좋아하는 동물은 무엇일까요?

(   )

(2) 고양이를 좋아하는 학생은 토끼를 좋아하는 학생보다 몇 명 더 많을까요?

(   )

02 민수네 반 학생들이 좋아하는 채소를 조사하여 표로 나타내었습니다. 물음에 답하세요.

좋아하는 채소별 학생 수

종류	당근	양배추	양파	오이	합계
학생 수(명)	7	3	9	4	23

(1) 가장 적은 학생이 좋아하는 채소는 무엇일까요?

(   )

(2) 양파를 좋아하는 학생은 양배추를 좋아하는 학생의 몇 배일까요?

(   )

개념 2 **표를 보고 내용 알아보기**(2)

03 현지네 반 학생들이 좋아하는 음료수를 조사하여 표로 나타내었습니다. 물음에 답하세요.

좋아하는 음료수별 학생 수

음료수	사이다	콜라	식혜	주스	합계
남학생 수(명)	1	5	2	3	
여학생 수(명)	1	2	4		13

(1) 가장 많은 여학생이 좋아하는 음료수는 무엇일까요?

( )

(2) 남학생은 여학생보다 몇 명 더 적을까요?

( )

04 경수네 반 학생들이 체험 학습으로 가고 싶어 하는 장소를 조사하여 표로 나타내었습니다. 물음에 답하세요.

체험 학습으로 가고 싶어 하는 장소

장소	박물관	놀이공원	동물원	민속 마을	합계
여학생 수(명)	4	6	3	3	
남학생 수(명)	3	5	4	2	14

(1) 경수네 반 학생 중 여학생은 몇 명일까요?

( )

(2) 경수네 반 학생 중 동물원에 가고 싶어 하는 학생은 몇 명일까요?

( )

개념 3 자료를 수집하여 표로 나타내기(1)

05 혜미네 반에 있는 학용품을 모은 것입니다. 조사한 자료를 보고 표로 나타내어 보세요.

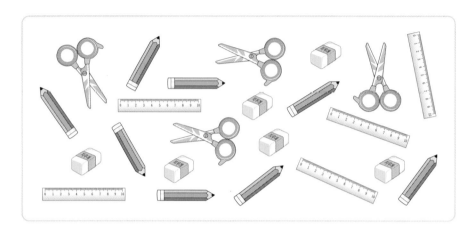

종류별 학용품 수

종류	연필	지우개	가위	자	합계
학용품 수(개)					

06 영미네 반 학생들이 태어난 계절을 조사한 자료를 보고 표로 나타내어 보세요.

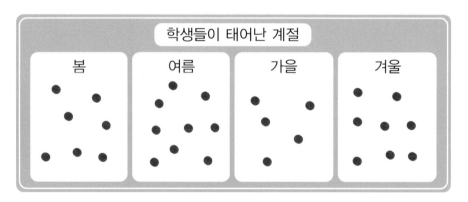

학생들이 태어난 계절

계절	봄	여름	가을	겨울	합계
학생 수(명)					

개념 4 자료를 수집하여 표로 나타내기(2)

07 현수네 반 학생들이 좋아하는 운동을 조사하였습니다. 자료를 보고 표로 나타내어 보세요.

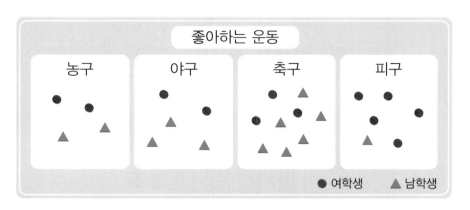

좋아하는 운동별 학생 수

운동	농구	야구	축구	피구	합계
여학생 수(명)					
남학생 수(명)					

08 희수네 반 학생들이 좋아하는 빵을 조사하였습니다. 자료를 보고 표로 나타내어 보세요.

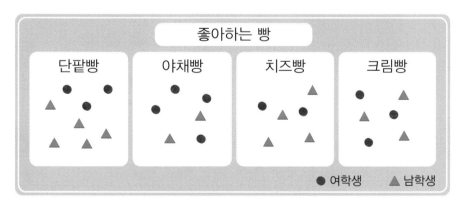

좋아하는 빵 종류별 학생 수

종류	단팥빵	야채빵	치즈빵	크림빵	합계
여학생 수(명)					
남학생 수(명)					

개념5 그림그래프 알아보기

09 승기네 학교 학생들이 월별로 읽은 동화책을 조사하여 그림그래프로 나타내었습니다. 6월에는 동화책을 몇 권 읽었을까요?

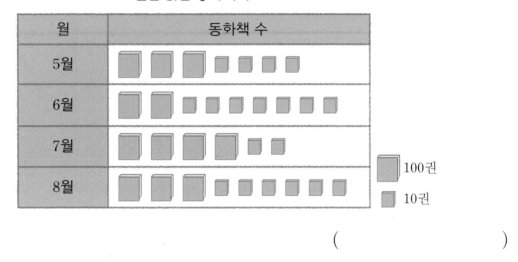

월별 읽은 동화책 수

(   )

10 어느 가게의 월별 도넛 판매량을 조사하여 그림그래프로 나타내었습니다. 물음에 답하세요.

월별 도넛 판매량

월	도넛 판매량
9월	
10월	
11월	
12월	

100개
10개

(1) 10월과 11월 도넛 판매량은 각각 몇 개일까요?

10월 (   ), 11월 (   )

(2) 도넛을 가장 많이 판매한 달은 몇 월일까요?

(   )

개념 6 그림그래프로 나타내기

11 가은이네 학교 3학년 학생들이 가고 싶은 나라를 조사하여 표로 나타내었습니다. 표를 보고 그림그래프를 완성해 보세요.

가고 싶은 나라별 학생 수

나라	미국	중국	프랑스	태국	합계
학생 수(명)	45	37	23	35	140

가고 싶은 나라별 학생 수

나라	학생 수
미국	
중국	◎ ◎ ◎ ○ ○ ○ ○ ○ ○ ○
프랑스	
태국	

◎ 10명
○ 1명

12 어느 식당에서 하루 동안 음식 판매량을 조사하여 표로 나타내었습니다. 표를 보고 그림그래프를 완성해 보세요.

음식 종류별 판매량

음식	갈비탕	비빔밥	김치찌개	된장찌개	합계
그릇 수(그릇)	52	34	45	38	169

음식 종류별 판매량

음식	그릇 수
갈비탕	
비빔밥	
김치찌개	
된장찌개	◎ ◎ ◎ ○ ○ ○ ○

◎ 10그릇
○ 5그릇
○ 1그릇

★ 표를 보고 내용 알아보기

1 민규네 반 학생들이 좋아하는 TV 프로그램을 조사하여 표로 나타내었습니다. 물음에 답하세요.

좋아하는 TV 프로그램

TV 프로그램	예능	드라마	만화	영화	합계
학생 수(명)	10	4	8	6	28

(1) 가장 많은 학생이 좋아하는 TV 프로그램은 무엇일까요?

답 _____

(2) 예능을 좋아하는 학생은 만화를 좋아하는 학생보다 몇 명 더 많을까요?

답 _____

개념 피드백

좋아하는 계절

계절	봄	여름	가을	겨울	합계
학생 수(명)	6	7	10	5	28

• 가장 많은 학생이 좋아하는 계절은 가을입니다.
• 여름을 좋아하는 학생은 봄을 좋아하는 학생보다 7−6＝1(명) 더 많습니다.

1-1 준영이네 반 학생들이 태어난 계절을 조사하여 표로 나타내었습니다. 물음에 답하세요.

태어난 계절별 학생 수

계절	봄	여름	가을	겨울	합계
학생 수(명)	9	2	6	8	25

(1) 태어난 학생이 가장 적은 계절을 써 보세요.

(   )

(2) 태어난 학생이 많은 계절부터 순서대로 써 보세요.

(   )

★ 표에서 모르는 자료의 수 구하기

2 어느 과일 가게에 있는 과일 수를 조사하여 표로 나타내었습니다. 귤은 몇 개 있는지 구해 보세요.

종류별 과일 수

과일	사과	감	귤	포도	합계
과일 수(개)	37	25		29	123

답 _____

개념 피드백 표에서 모르는 자료의 수는 합계에서 각 자료의 수를 빼서 구할 수 있습니다.

2-1 어느 채소 가게에 있는 채소 수를 조사하여 표로 나타내었습니다. 양파는 몇 개 있는지 구해 보세요.

종류별 채소 수

채소	오이	양파	가지	고추	합계
채소 수(개)	43		30	49	150

(   )

2-2 정훈이네 학교 학생들이 좋아하는 과목을 여학생과 남학생으로 나누어 조사한 후 표로 나타내었습니다. 표를 완성해 보세요.

좋아하는 과목

과목	수학	국어	미술	체육	합계
여학생 수(명)	38	12		27	110
남학생 수(명)	22		43	19	108

★ 그림그래프를 보고 합계 구하기

3 민지네 아파트의 동별 자전거 수를 조사하여 그림그래프로 나타내었습니다. 민지네 아파트에 있는 자전거는 모두 몇 대인지 구해 보세요.

동별 자전거 수

동	자전거 수
101동	🚲🚲 🚲🚲🚲🚲
102동	🚲🚲🚲🚲 🚲🚲
103동	🚲🚲🚲🚲🚲
104동	🚲🚲🚲🚲🚲🚲🚲🚲

🚲 10대
🚲 1대

답 _____

개념 피드백
① 큰 그림과 작은 그림이 나타내는 수 알아보기
② 각 동별로 큰 그림과 작은 그림의 수 구하기
③ 각 동별로 자전거의 수 구하기
④ ③에서 구한 자전거 수의 합 구하기

3-1 마트에서 하루 동안 팔린 라면의 수를 그림그래프로 나타내었습니다. 마트에서 하루 동안 팔린 라면은 모두 몇 개인지 구해 보세요.

종류별 라면 판매량

종류	라면 판매량
A 라면	🍜 🍜🍜🍜🍜🍜🍜🍜
B 라면	🍜🍜🍜 🍜🍜🍜
C 라면	🍜🍜 🍜🍜🍜🍜
D 라면	🍜🍜 🍜🍜🍜🍜🍜🍜

 100개
🍜 10개

(   )

★ 표를 완성하여 그림그래프로 나타내기

4 과수원별 사과 생산량을 나타낸 표와 그림그래프입니다. 표와 그림그래프를 완성해 보세요.

과수원별 사과 생산량

과수원	가	나	다	합계
생산량(상자)		350	400	1170

과수원별 사과 생산량

과수원	사과 생산량
가	
나	
다	

🍎 100상자
🍎 10상자

개념 피드백 표에서 빠진 자료 수를 구한 다음 큰 그림과 작은 그림을 알맞게 그려 그림그래프를 완성합니다.

4-1 국립 공원에 있는 종류별 나무 수를 나타낸 표와 그림그래프입니다. 표와 그림그래프를 완성해 보세요.

종류별 나무의 수

종류	소나무	은행나무	단풍나무	전나무	합계
나무 수(그루)	240		170		930

종류별 나무의 수

종류	나무 수
소나무	
은행나무	
단풍나무	
전나무	

🌳 100그루
🌲 50그루
🌱 10그루

★ 조건에 알맞게 표 완성하기

5 학생들이 좋아하는 색깔을 조사하여 표로 나타내었습니다. 노란색과 파란색을 좋아하는 학생 수가 같을 때 표를 완성해 보세요.

좋아하는 색깔별 학생 수

색깔	빨간색	노란색	파란색	초록색	합계
학생 수(명)	11			8	37

개념 피드백 ① 노란색과 파란색을 좋아하는 학생 수의 합을 구합니다.
② ①÷2를 구합니다.

5-1 마을별 병원 수를 조사하여 표로 나타내었습니다. 사랑 마을과 소망 마을의 병원 수가 같을 때 표를 완성해 보세요.

마을별 병원 수

마을	사랑	믿음	소망	나눔	합계
병원 수(개)		26		17	67

5-2 현수네 반 학생들이 좋아하는 간식을 조사하여 표로 나타내었습니다. 떡볶이를 좋아하는 학생은 햄버거를 좋아하는 학생의 2배일 때 표를 완성해 보세요.

좋아하는 간식

간식	떡볶이	피자	햄버거	치킨	합계
학생 수(명)		3	4	7	

★ 그림그래프를 보고 예상하기

6 명철이네 학교 3학년 학생들이 좋아하는 우유를 조사하여 그림그래프로 나타내었습니다. 학생들을 위해 우유를 한 가지만 준비한다면 어떤 맛 우유를 준비하면 좋을지 쓰고 그 이유를 써 보세요.

학생들이 좋아하는 우유

종류	학생 수
딸기 맛	☺ ☺ ☺ ☺ ☺ ☺
바나나 맛	☺ ☺ ☺ ☺ ☺ ☺ ☺
초콜릿 맛	☺ ☺ ☺ ☺ ☺ ☺ ☺ ☺

☺ 10명
☺ 1명

종류 _____

이유 _____

개념 피드백 가장 많은 학생이 좋아하는 우유를 준비하는 것이 좋습니다.

6-1 마트에서 일주일 동안 팔린 생선 수를 조사하여 그림그래프로 나타내었습니다. 다음 주에 어떤 생선을 더 많이 준비하면 좋을지 쓰고 그 이유를 써 보세요.

일주일 동안 팔린 생선 수

종류	팔린 생선 수
고등어	🐟 🐟 🐟 🐟 🐟 🐟 🐟
갈치	🐟 🐟 🐟 🐟 🐟 🐟 🐟 🐟
꽁치	🐟 🐟 🐟 🐟 🐟
가자미	🐟 🐟 🐟 🐟 🐟

🐟 10마리
🐟 1마리

(   )

이유 _____

1 어느 빵 가게에서 하루 동안 판매된 빵의 수를 그림그래프로 나타내었습니다. 가장 많이 팔린 빵을 써 보세요.

하루 동안 팔린 빵별 판매량

해결하기 많이 팔린 빵부터 팔린 빵 수를 써 보면 [   ] > [   ] > [   ] 입니다.

따라서 가장 많이 팔린 빵은 [   ] 입니다.

답 구하기 [   ]

2 과수원별 배 생산량을 조사하여 그림그래프로 나타내었습니다. 배 생산량이 가장 적은 과수원을 구해 보세요.

과수원별 배 생산량

과수원	배 생산량
가	🍐🍐🍐 ○○○
나	🍐🍐🍐🍐 ○○
다	🍐🍐🍐 ○○○○○

🍐 100상자
○ 10상자

해결하기

답 구하기

3 현수네 학교 3학년 학생들의 혈액형별 학생 수를 조사하여 표로 나타내었습니다. 학생 수가 가장 많은 혈액형은 무엇인지 구해 보세요.

혈액형별 학생 수

혈액형	A형	B형	O형	AB형	합계
여학생 수(명)	19	25	13	17	74
남학생 수(명)	18	10	20	13	61

해결하기 혈액형별 학생 수를 구해 보면 A형: ☐ 명, B형: ☐ 명,

O형: ☐ 명, AB형: ☐ 명입니다.

따라서 학생 수가 가장 많은 혈액형은 ☐ 입니다.

답 구하기 ☐

4 승호네 학교 3학년 학생들이 좋아하는 간식을 조사하여 표로 나타내었습니다. 가장 많은 학생이 좋아하는 간식은 무엇인지 구해 보세요.

좋아하는 간식별 학생 수

간식	피자	치킨	떡볶이	샌드위치	합계
여학생 수(명)	18	12	15	13	58
남학생 수(명)	14	21	19	9	63

해결하기

답 구하기

준비물 붙임딱지

마을별 감자와 고구마 수확량을 조사하여 표로 나타내었습니다.
표를 보고 그림그래프로 나타내어 보세요.

마을별 감자 수확량

마을	가	나	다	라	합계
수확량(kg)	160	230	270	150	810

마을별 감자 수확량

마을	수확량
가	
나	
다	
라	

🥔 100kg 🥔 10kg

마을별 감자 수확량

마을	수확량
가	
나	
다	
라	

🥔 50kg 🥔 10kg

마을별 고구마 수확량

마을	가	나	다	라	합계
수확량(kg)	320	260	410	350	1340

마을별 고구마 수확량

마을	수확량
가	
나	
다	
라	

100kg 10kg

마을별 고구마 수확량

마을	수확량
가	
나	
다	
라	

 100kg   50kg 10kg

준비물 붙임딱지

민아는 부모님을 도와 집안일을 하면 용돈을 받습니다. 민아가 4월에 한 일을 보고 한 달 동안 받은 용돈을 표와 그림그래프로 나타내어 보세요.

- 빨래 개기 : 800원
- 구두 닦기 : 1000원
- 설거지하기 : 1200원
- 청소하기 : 1400원

4/10
- 구두 닦기
- 청소하기

4/12
- 빨래 개기
- 설거지하기

4/20
- 설거지하기

4/23
- 빨래 개기
- 청소하기

4/25
- 구두 닦기

4/30
- 설거지하기
- 청소하기

한 달 동안 받은 용돈

집안일	빨래 개기	구두 닦기	설거지하기	청소하기	합계
용돈(원)					

한 달 동안 받은 용돈

집안일	용돈
빨래 개기	
구두 닦기	
설거지하기	
청소하기	

 1000 1000원 500 500원 100 100원

주민이는 부모님과의 약속을 지키면 칭찬 점수를 받습니다. 주민이가 지킨 약속을 보고 일주일 동안 받은 칭찬 점수를 표와 그림그래프로 나타내어 보세요.

	월	화	수
★ ◦ 숙제하기 : 150점 ◦ 신발 정리 : 200점 ◦ 책상 정리 : 60점 ◦ 책장 정리 : 80점	◦ 숙제하기 ◦ 신발 정리	◦ 신발 정리 ◦ 책상 정리	◦ 숙제하기 ◦ 책장 정리
	목	금	토
	◦ 책상 정리 ◦ 책장 정리	◦ 숙제하기 ◦ 책장 정리	◦ 신발 정리

★ 일주일 동안 받은 칭찬 점수

약속	숙제하기	신발 정리	책상 정리	책장 정리	합계
점수(점)					

일주일 동안 받은 칭찬 점수

약속	점수
숙제 하기	
신발 정리	
책상 정리	
책장 정리	

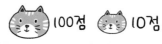 100점 10점

1 준호네 반과 혜영이네 반 학생들이 좋아하는 중국 음식을 조사하여 표로 나타내었습니다. 준호네 반과 혜영이네 반에서 가장 많은 학생이 좋아하는 중국 음식은 무엇인지 구해 보세요.

좋아하는 중국 음식별 학생 수

음식	자장면	탕수육	볶음밥	군만두	합계
준호네 반(명)	6	8		5	23
혜영이네 반(명)	9		6	7	27

❶ 준호네 반에서 볶음밥을 좋아하는 학생은 몇 명일까요?

( )

❷ 혜영이네 반에서 탕수육을 좋아하는 학생은 몇 명일까요?

( )

❸ 준호네 반과 혜영이네 반에서 가장 많은 학생이 좋아하는 중국 음식은 무엇 일까요?

( )

2 진주는 여러 가지 모양의 색깔 블록을 가지고 있습니다. 파란색 삼각형 모양의 블록은 모두 몇 개인지 구해 보세요.

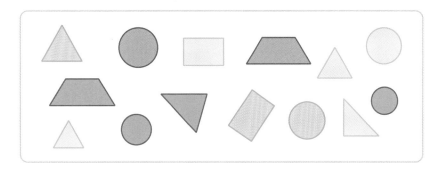

① 그림을 보고 표를 완성해 보세요.

색깔별 블록 수

색깔	분홍색	파란색	초록색	보라색	합계
블록 수(개)					

② 파란색 블록의 모양별 수를 나타낸 표를 완성해 보세요.

파란색 블록의 모양별 블록 수

모양	사각형	삼각형	원	합계
블록 수(개)				

③ 파란색 삼각형 모양의 블록은 모두 몇 개인지 구해 보세요

(   )

3 어느 서점에서 한 달 동안 팔린 책의 종류별 판매량을 조사하여 표와 그림그래프로 나타내었습니다. 표와 그림그래프를 완성하고 과학책은 위인전보다 몇 권 더 팔렸는지 구해 보세요.

종류별 책 판매량

종류	위인전	과학책	역사책	문제집	합계
판매량(권)	120		210	80	560

종류별 책 판매량

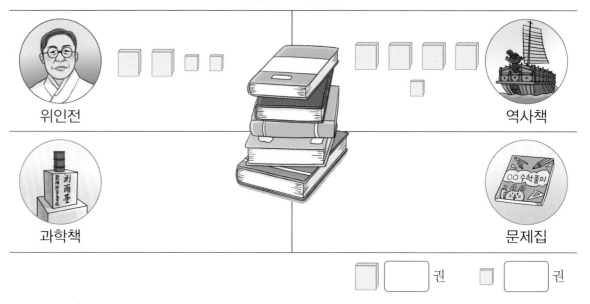

1 📘과 📖가 나타내는 수를 각각 써 보세요.

📘 (   )

📖 (   )

2 표와 그림그래프를 완성해 보세요.

3 과학책은 위인전보다 몇 권 더 팔렸는지 구해 보세요.

(   )

4 승주, 민아, 효민이가 농장에서 캔 고구마의 무게를 그림그래프로 나타내었습니다. 세 사람이 캔 고구마의 무게가 모두 65 kg일 때 그림의 단위를 바꾸어 그림그래프로 나타내어 보세요.

캔 고구마의 무게

이름	고구마 무게
승주	
민아	
효민	

🐢 10 kg
🌱 1 kg

1 승주와 민아가 캔 고구마의 무게는 각각 몇 kg일까요?

승주 (   )

민아 (   )

2 효민이가 캔 고구마의 무게는 몇 kg일까요?

(   )

3 위 그림그래프를 완성해 보세요.

4 위 그림그래프의 그림의 단위를 바꾸어 그림그래프를 완성해 보세요.

캔 고구마의 무게

이름	고구마 무게
승주	
민아	
효민	

🐢 10 kg
🌱 5 kg 
🌱 1 kg

1

과수원별 감 생산량을 조사하여 표로 나타내었습니다. 표와 그림그래프를 완성해 보세요.

과수원별 감 생산량

과수원	㉮	㉯	㉰	㉱	합계
감 생산량(상자)	624	315		237	1638

1 ㉰ 과수원의 감 생산량은 몇 상자일까요?

( )

2 그림그래프로 나타낼 때 그림은 몇 가지로 나타내는 것이 좋을까요?

( )

3 표를 보고 그림그래프를 완성해 보세요.

과수원별 감 생산량

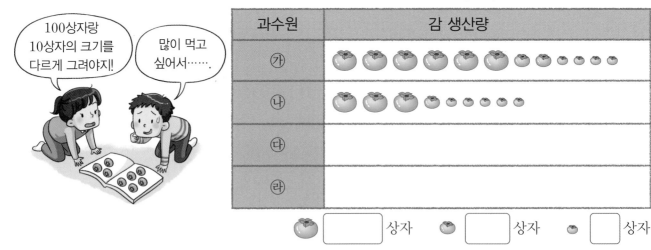

2 마을별 학생 수를 조사하여 나타낸 그림그래프입니다. 네 마을의 학생이 모두 1220명일 때 도로의 동쪽과 서쪽 중 어느 쪽에 학생이 몇 명 더 많은지 구해 보세요.

마을별 학생 수

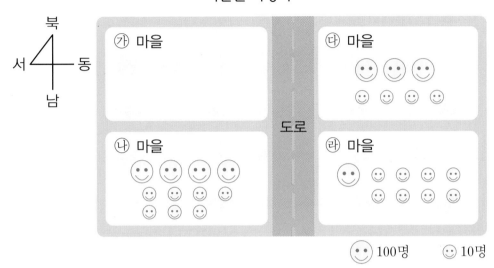

☺ 100명   ☺ 10명

1 도로의 동쪽에 사는 학생은 몇 명일까요?

(   )

2 도로의 서쪽에 사는 학생은 몇 명일까요?

(   )

3 도로의 동쪽과 서쪽 중 어느 쪽에 학생이 몇 명 더 많은지 차례로 구해 보세요.

(   ), (   )

3 어느 아이스크림 가게의 요일별 아이스크림 판매량을 조사하여 그림그래프로 나타내었습니다. 5일 동안 팔린 아이스크림은 166개이고 아이스크림 한 개의 가격은 800원입니다. 아이스크림이 가장 많이 팔린 요일과 가장 적게 팔린 요일의 아이스크림 판매 금액의 차는 얼마인지 구해 보세요.

요일별 아이스크림 판매량

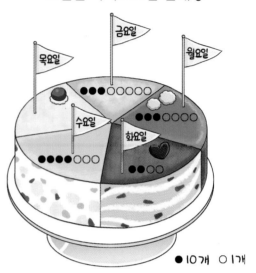

● 10개 ○ 1개

❶ 아이스크림이 가장 많이 팔린 요일은 언제일까요?

(   )

❷ 아이스크림이 가장 적게 팔린 요일은 언제일까요?

(   )

❸ 아이스크림이 가장 많이 팔린 요일과 가장 적게 팔린 요일의 아이스크림 판매 금액의 차는 얼마인지 구해 보세요.

(   )

4 민주네 학교 학생들의 장래 희망을 조사하였습니다. 선생님이 되고 싶어 하는 학생은 운동선수가 되고 싶어 하는 학생보다 20명 더 적습니다. 표와 그림그래프를 완성하고 가장 많은 학생이 되고 싶어 하는 것을 구해 보세요.

장래 희망별 학생 수

장래 희망	의사	선생님	연예인	운동선수	합계
학생 수(명)	20		27		97

장래 희망별 학생 수

장래 희망	학생 수
의사	
선생님	
연예인	
운동선수	

ⓒ 10명　　ⓒ 1명

① 표를 완성해 보세요.

② 표를 보고 그림그래프로 나타내어 보세요.

③ 가장 많은 학생이 되고 싶어 하는 것은 무엇일까요?

(　　　　　　　　　　)

3 단계 교과 **사고력 완성**

1 어느 마트의 삼각김밥 판매량을 조사하여 표로 나타내었습니다. 참치김밥이 비빔밥 김밥보다 2배 많이 팔렸습니다. 표를 완성하고 그림그래프 2가지로 나타내어 보세요.

마트의 삼각김밥별 판매량

종류	참치	김치	비빔밥	불닭	합계
판매량(개)		27		35	110

삼각김밥별 판매량

종류	판매량
참치	
김치	
비빔밥	
불닭	

△ 10개
△ 1개

그림 종류가 늘어나면 뭐가 다른거지?

그림을 그려야 하는 횟수가 적어질 수 있어.

삼각김밥별 판매량

종류	판매량
참치	
김치	
비빔밥	
불닭	

△ 10개
○ 5개
△ 1개

평가 영역 ☐개념 이해력 ☐개념 응용력 ☐창의력 ☑문제 해결력

2 학생들이 좋아하는 동물을 조사한 것입니다. 강아지를 좋아하는 학생은 30명이고 토끼를 좋아하는 학생은 21명입니다. 물음에 답하세요.

① 가장 많은 학생이 좋아하는 동물은 무엇일까요?

(   )

② 과 가 나타내는 수를 각각 써 보세요.

(   ), (   )

③ 고양이를 좋아하는 학생은 다람쥐를 좋아하는 학생보다 몇 명 더 많은지 구해 보세요.

(   )

[1~4] 보영이네 반 학생들이 좋아하는 운동을 조사하여 표로 나타내었습니다. 물음에 답하세요.

좋아하는 운동별 학생 수

운동	축구	야구	농구	피구	합계
학생 수(명)	8	7		4	28

1 농구를 좋아하는 학생은 몇 명일까요?

(   )

2 보영이네 반 학생은 몇 명일까요?

(   )

3 가장 많은 학생이 좋아하는 운동은 무엇일까요?

(   )

4 야구를 좋아하는 학생은 피구를 좋아하는 학생보다 몇 명 더 많은지 구해 보세요.

(   )

[5~8] 마을별 쌀 생산량을 조사하여 그림그래프로 나타내었습니다. 물음에 답하세요.

마을별 쌀 생산량

마을	쌀 생산량
가	
나	
다	
라	

100가마

10가마

5 각 마을의 쌀 생산량을 각각 구해 보세요.

가 마을 (   ), 나 마을 (   )

다 마을 (   ), 라 마을 (   )

6 쌀 생산량이 가장 많은 마을은 어느 마을일까요?

(   )

7 가 마을은 라 마을보다 쌀 생산량이 몇 가마 더 많을까요?

(   )

8 쌀 생산량이 가장 많은 마을은 가장 적은 마을보다 쌀 생산량이 몇 가마 더 많을까요?

(   )

[9~12] 영미네 반 학생들이 태어난 계절을 조사하여 나타낸 표입니다. 물음에 답하세요.

학생들이 태어난 계절

계절	봄	여름	가을	겨울	합계
여학생 수(명)	7	2		3	16
남학생 수(명)	4	1	5	2	

9 봄에 태어난 여학생은 남학생보다 몇 명 더 많은지 구해 보세요.

( )

10 가을에 태어난 여학생은 몇 명일까요?

( )

11 영미네 반 학생은 모두 몇 명일까요?

( )

12 가장 적은 수의 학생이 태어난 계절을 써 보세요.

( )

[13~14] 준호네 반 학생들이 배우고 싶은 악기를 조사하여 표로 나타내었습니다. 피아노를 배우고 싶은 학생은 플루트를 배우고 싶은 학생의 2배일 때 조사한 학생 수를 구하려고 합니다. 물음에 답하세요.

배우고 싶은 악기

악기	피아노	바이올린	플루트	드럼	합계
학생 수(명)		7	8	5	

13 피아노를 배우고 싶은 학생은 몇 명일까요?

( )

14 조사한 학생 수는 모두 몇 명일까요?

( )

[15~16] 혜영이네 반 학급문고의 책을 조사하여 그림그래프로 나타내었습니다. 학급문고의 책 수가 124권일 때 물음에 답하세요.

종류별 책 수

종류	책 수
동화책	
위인전	📖 📖 📖 📖 📖 📗 📗
과학책	📖 📖 📖 📗 📗
시집	📖 📗 📗 📗 📗 📗 📗

📖 10권
📗 1권

15 동화책은 몇 권일까요?

( )

16 가장 많은 책과 가장 적은 책의 책 수의 차를 구해 보세요.

( )

[17~20] 학생들이 좋아하는 과일을 조사하여 그림그래프로 나타낸 것입니다. 포도를 좋아하는 학생은 6명이고 귤을 좋아하는 학생은 12명일 때 물음에 답하세요.

좋아하는 과일

과일	학생 수
사과	☺ ☺ ☺ ☺
딸기	☺ ☺ ☺
포도	☺ ☺ ☺
귤	☺ ☺

☺ [ ] 명
☺ [ ] 명

17 딸기를 좋아하는 학생은 몇 명일까요?

(   )

18 그림그래프를 보고 표를 완성해 보세요.

좋아하는 과일별 학생 수

과일	사과	딸기	포도	귤	합계
학생 수(명)					

19 가장 적은 학생이 좋아하는 과일은 무엇일까요?

(   )

20 조사한 학생은 모두 몇 명인지 알아보려면 그림그래프와 표 중 어느 것이 더 편리할까요?

(   )

1 다음은 2016년에 열린 제31회 리우데자네이루 올림픽에서 나라별로 딴 금메달의 수를 조사하여 그림그래프로 나타낸 것입니다. 물음에 답하세요.

나라별 금메달 수

나라	금메달 수
미국	
러시아	
중국	
영국	

○ 10개
○ 5개
○ 1개

(1) 그림그래프를 보고 표로 나타내어 보세요.

나라별 금메달 수

나라	미국	러시아	중국	영국	합계
금메달 수(개)					

(2) 금메달을 가장 많이 딴 나라를 써 보세요.

( )

(3) 중국은 러시아보다 금메달을 몇 개 더 땄는지 구해 보세요.

( )

Memo

문제의 알맞은 곳에 붙임딱지를 붙여보세요.

14쪽

15쪽

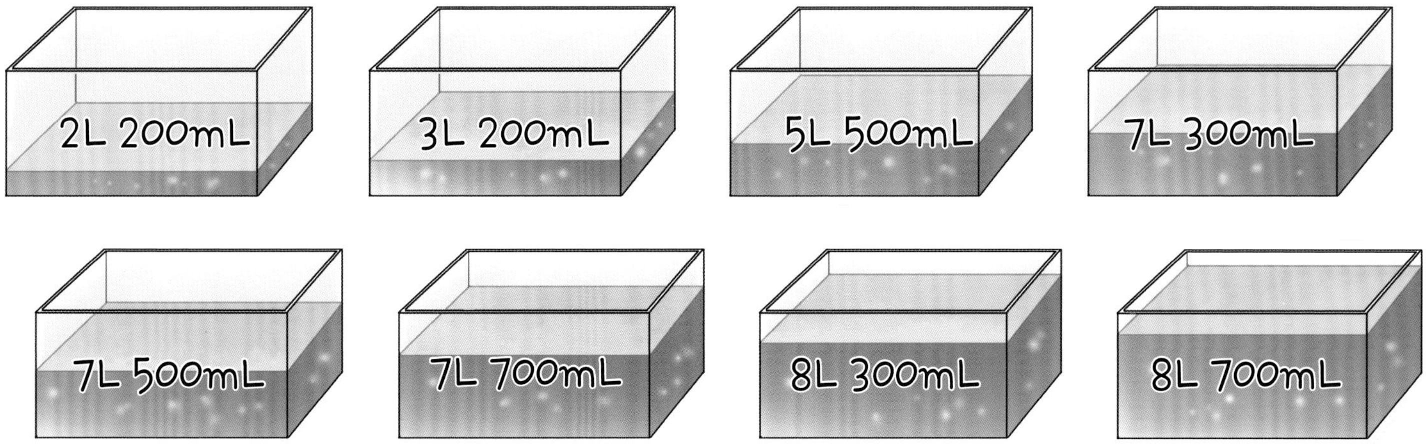

2L 200mL

3L 200mL

5L 500mL

7L 300mL

7L 500mL

7L 700mL

8L 300mL

8L 700mL

16쪽

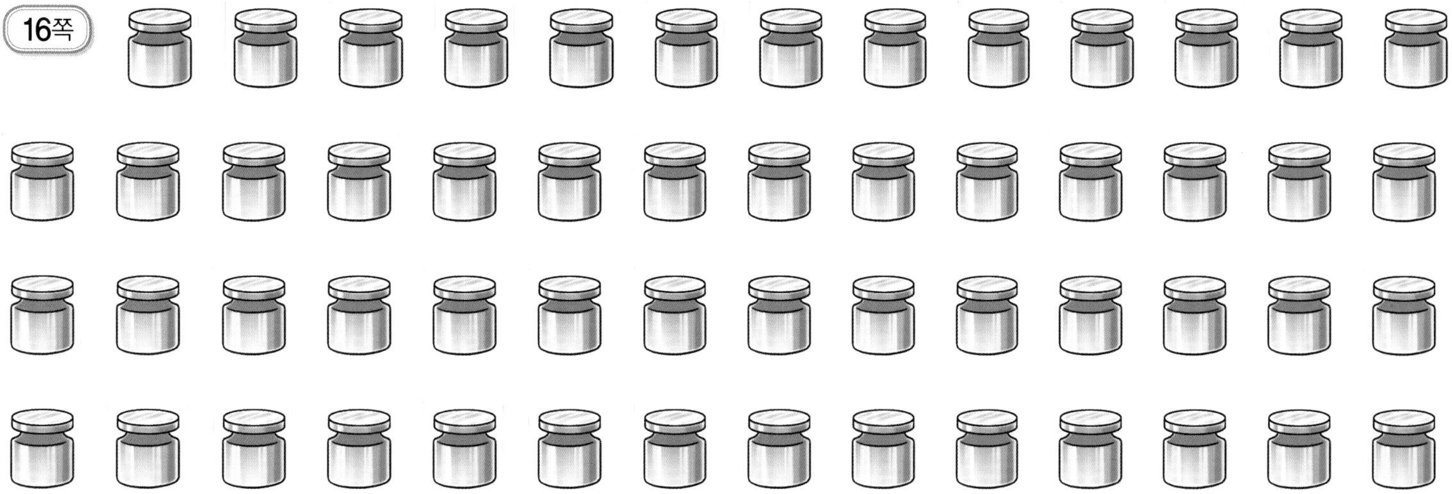

17쪽

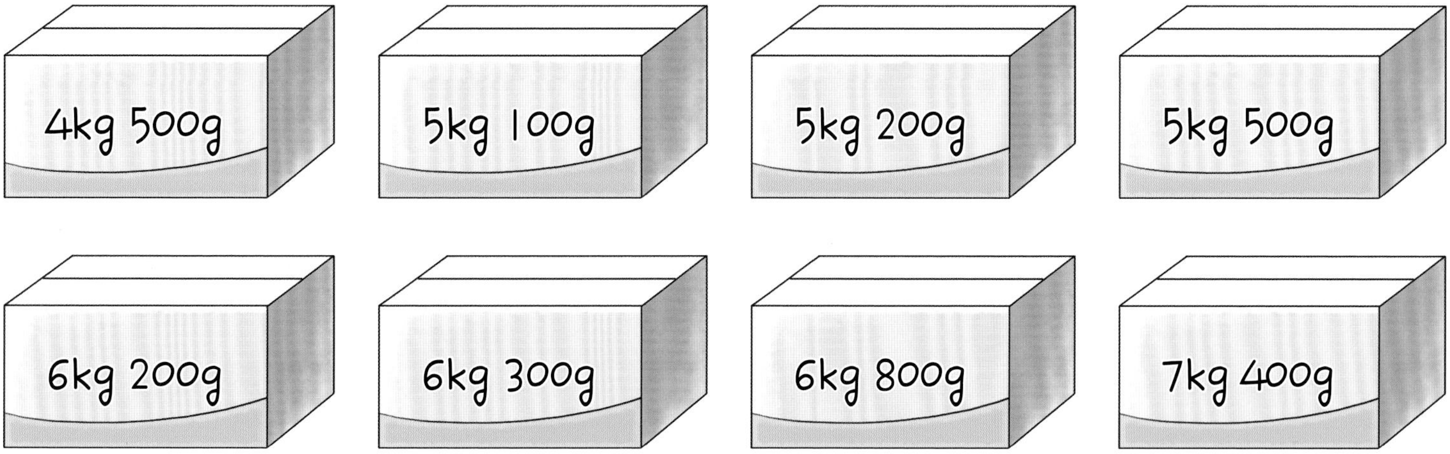

4kg 500g

5kg 100g

5kg 200g

5kg 500g

6kg 200g

6kg 300g

6kg 800g

7kg 400g

32쪽

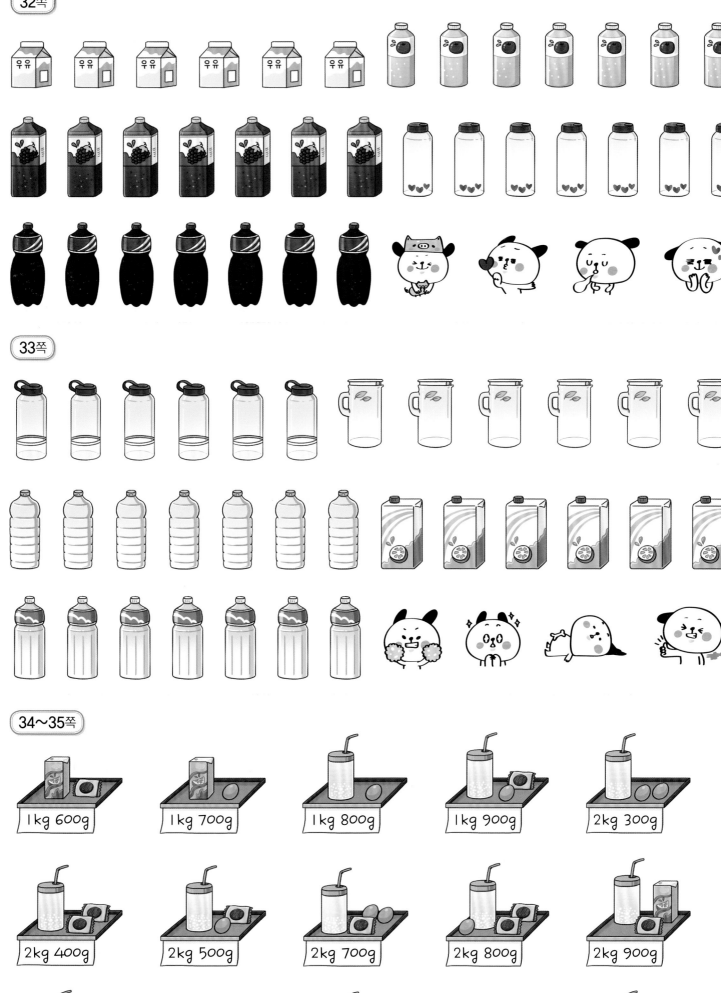

33쪽

34~35쪽

1kg 600g

1kg 700g

1kg 800g

1kg 900g

2kg 300g

2kg 400g

2kg 500g

2kg 700g

2kg 800g

2kg 900g

3kg 100g

3kg 200g

3kg 300g

3kg 400g

3kg 500g

62~63쪽

65쪽

80~81쪽

82~83쪽

1000 1000 1000 1000 1000 1000 1000 1000 1000

1000 1000 1000 500 500 500 500 500 100 100 100 100 100

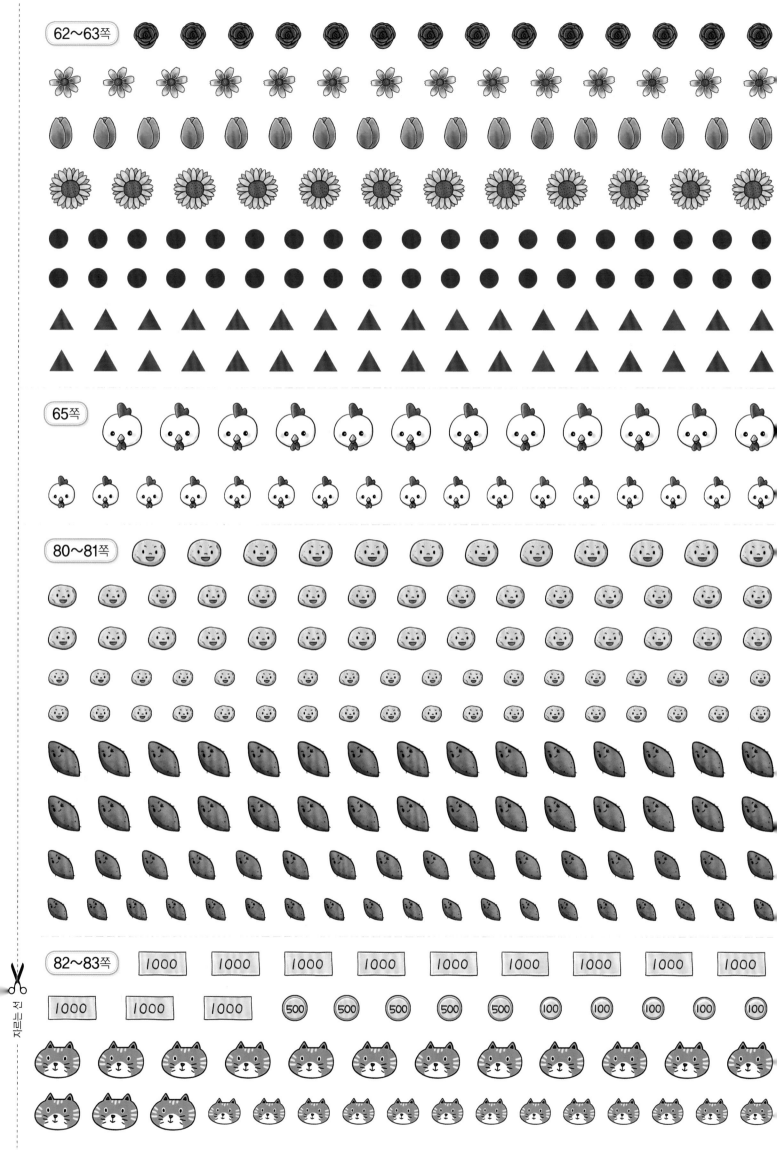

자르는 선

Go!
매쓰

GO!

교과서 GO! 사고력 GO!

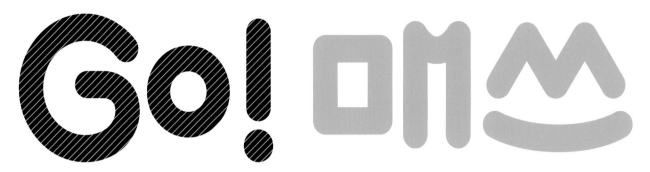

GO! 매쓰

Run-C
교과서 사고력

GO!

정답과 풀이 수학 3-2

열심히
풀었으니까,
한 번 맞춰 볼까?

5 들이와 무게

들이와 무게 비교하기

들이는 주전자나 물병과 같은 그릇의 안쪽 공간의 크기를 나타냅니다.
들이를 비교할 때는 '많다', '적다'와 같은 말을 사용합니다.

무게는 물건의 무거운 정도를 나타냅니다.
무게를 비교할 때는 '무겁다', '가볍다'와 같은 말을 사용합니다.

들이가 많은 것부터 순서대로 1, 2, 3, 4를 써 보세요.

(**1**)　(**3**)　(**2**)　(**4**)

❖ 양동이의 들이가 가장 많고 컵의 들이가 가장 적습니다.

무게가 무거운 것부터 순서대로 1, 2, 3을 써 보세요.

(**2**)　　(**1**)　　(**3**)

❖ 수박이 가장 무겁고 딸기가 가장 가볍습니다.

1단계 교과서 개념 잡기

개념 1 들이 비교하기 – 주스병과 우유병의 들이 비교하기

방법1 주스병에 물을 가득 채운 후 우유병에 물을 옮겨 비교하기

주스병에 채운 물이 우유병에 다 들어갔으므로 우유병의 들이가 더 많습니다.

방법2 모양과 크기가 같은 그릇에 옮겨 담아 비교하기

우유병에 담긴 물의 높이가 더 높으므로 우유병의 들이가 더 많습니다.

방법3 모양과 크기가 같은 작은 컵에 옮겨 담아 비교하기

우유병이 주스병보다 컵 6−3=3(개)만큼 물이 더 들어가므로 우유병의 들이가 더 많습니다.

개념 2 들이의 단위 알아보기 – 리터, 밀리리터

쓰기	읽기	리터와 밀리리터의 관계
1 L	1 리터	1 L = 1000 mL
1 mL	1 밀리리터	

· 1보다 500 mL 더 많은 들이

쓰기 1 L 500 mL　　**읽기** 1 리터 500 밀리리터

1 L는 1000 mL와 같으므로 1 L 500 mL는 1500 mL입니다.

1 L 500 mL = 1500 mL

개념 확인 문제

1-1 물병과 주스병에 물을 가득 채운 후 모양과 크기가 같은 그릇에 옮겨 담았습니다. 오른쪽과 같이 물을 채웠을 때에 물병과 주스병 중 들이가 더 많은 것은 어느 것인지 써 보세요.

(**물병**)

❖ 물병에 담긴 물의 높이가 더 높으므로 물병의 들이가 더 많습니다.

1-2 ㉮ 물병과 ㉯ 물병에 물을 가득 채운 후 모양과 크기가 같은 작은 컵에 옮겨 담았습니다. ㉮ 물병과 ㉯ 물병 중 들이가 더 많은 것은 어느 것일까요?

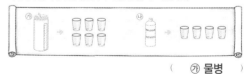

(**㉮ 물병**)

❖ ㉮ 물병은 컵으로 6개, ㉯ 물병은 컵으로 4개입니다.
→ 6 > 4이므로 ㉮ 물병의 들이가 더 많습니다.

2-1 물의 양이 얼마인지 눈금을 읽어 보세요.

3 L

❖ 물의 높이가 가리키는 눈금을 읽으면 3 L입니다.

2-2 □ 안에 알맞은 수를 써넣으세요.

(1) 3000 mL = **3** L

(2) 2 L 700 mL = **2700** mL

(3) 6900 mL = **6** L **900** mL

(4) 4500 mL = **4** L **500** mL

❖ (1) 3000 mL = 3 L
(2) 2 L 700 mL = 2000 mL + 700 mL = 2700 mL
(3) 6900 mL = 6000 mL + 900 mL = 6 L 900 mL
(4) 4500 mL = 4000 mL + 500 mL = 4 L 500 mL

1 단계 교과서 개념 잡기

개념 3 들이를 어림하고 재어 보기

들이를 어림하여 말할 때는 약 ☐ L 또는 약 ☐ mL라고 합니다.

80 mL → 음료수 캔의 들이는 요구르트병의 3배 정도이므로 약 240 mL입니다.

1 L → 주전자의 들이는 우유갑의 5배 정도이므로 약 5 L입니다.

개념 4 들이의 덧셈

L는 L끼리 더하고, mL는 mL끼리 더합니다.
이때 mL끼리의 합이 1000 mL이거나 1000 mL를 넘으면 1000 mL를 1 L로 받아올림합니다.

	L	mL			L	mL
	5	200 mL			3	800 mL
+	1	300 mL		+	1	500 mL
	6	500 mL			5	300 mL

개념 5 들이의 뺄셈

L는 L끼리 빼고, mL는 mL끼리 뺍니다.
이때 mL끼리 뺄 수 없으면 1 L를 1000 mL로 받아내림하여 계산합니다.

	L	mL			L	mL
	8	500 mL			4	600 mL
-	4	200 mL		-	2	700 mL
	4	300 mL			1	900 mL

개념 확인 문제

3 알맞은 단위에 ◯표 하세요.

(1)
우유갑의 들이는 약 500 (L , **mL**)입니다.

(2)
냄비의 들이는 약 3 (**L** , mL)입니다.

4 계산해 보세요.

(1) 2 L 400 mL + 1 L 300 mL = **3 L 700 mL**

(2) 3 L 300 mL + 2 L 500 mL = **5 L 800 mL**

(3)
	L	mL
	1	600 mL
+	4	600 mL
	6	**200 mL**

(4)
	L	mL
	2	800 mL
+	5	500 mL
	8	**300 mL**

✤ (3) 600 mL + 600 mL = 1200 mL이므로 1000 mL를 1 L로 받아올림합니다.
(4) 800 mL + 500 mL = 1300 mL이므로 1000 mL를 1 L로 받아올림합니다.

5 계산해 보세요.

(1) 7 L 500 mL - 2 L 200 mL = **5 L 300 mL**

(2) 5 L 400 mL - 1 L 300 mL = **4 L 100 mL**

(3)
	L	mL
	3	400 mL
-	2	600 mL
	2	**800 mL**

(4)
	L	mL
	8	700 mL
-	4	900 mL
	3	**800 mL**

✤ (3) 400 mL - 600 mL를 계산할 수 없으므로
1 L를 1000 mL로 받아내림하여 계산합니다.
(4) 700 mL - 900 mL를 계산할 수 없으므로
1 L를 1000 mL로 받아내림하여 계산합니다.

---

1 단계 교과서 개념 잡기

개념 6 무게 비교하기 - 사과와 바나나의 무게 비교하기

방법 1 양손에 물건을 들고 무게 비교하기

(바나나가 더 가볍군.) 두 물건의 무게를 비교하면 사과가 바나나보다 더 무겁습니다. 두 물건의 무게가 비슷할 경우에는 어느 것이 더 무거운지 알기 힘듭니다.

방법 2 저울을 사용하여 무게 비교하기

사과가 놓인 접시가 내려갔으므로 사과가 바나나보다 더 무겁습니다.

방법 3 단위를 사용하여 비교하기

사과가 바나나보다 바둑돌 25 - 15 = 10(개)만큼 더 무겁습니다.

개념 7 무게의 단위 알아보기 - 킬로그램, 그램, 톤

쓰기	읽기	킬로그램과 그램, 톤과 킬로그램의 관계
1 kg	1 킬로그램	1 kg = 1000 g
1 g	1 그램	
1 t	1 톤	1 t = 1000 kg

· 1 kg보다 500 g 더 무거운 무게

쓰기 1 kg 500 g 읽기 1 킬로그램 500 그램
1 kg은 1000 g과 같으므로 1 kg 500 g은 1500 g입니다.

1 kg 500 g = 1500 g

개념 확인 문제

6-1 무게가 무거운 것부터 순서대로 기호를 써 보세요.

㉠ 책상   ㉡ 마우스   ㉢ 노트북

(**㉠, ㉢, ㉡**)

✤ 책상이 가장 무겁고 마우스가 가장 가볍습니다.

6-2 저울과 100원짜리 동전으로 가위와 풀의 무게를 비교하고 있습니다. 가위와 풀 중 어느 것이 더 무거울까요?

✤ 가위의 무게는 100원짜리 동전 18개의 (**가위**) 무게와 같고, 풀의 무게는 100원짜리 동전 10개의 무게와 같습니다.
→ 18 > 10이므로 가위가 풀보다 더 무겁습니다.

7-1 주어진 무게를 쓰고 읽어 보세요.

8 kg 200 g
쓰기 **8 kg 200 g**
읽기 (**8 킬로그램 200 그램**)

7-2 ☐ 안에 알맞은 수를 써넣으세요.

(1) 4 kg 600 g = **4600** g

(2) 7 kg 30 g = **7030** g

(3) 3500 g = **3** kg **500** g

(4) 9020 g = **9** kg **20** g

✤ (1) 4 kg 600 g = 4000 g + 600 g = 4600 g
(2) 7 kg 30 g = 7000 g + 30 g = 7030 g
(3) 3500 g = 3000 g + 500 g = 3 kg 500 g
(4) 9020 g = 9000 g + 20 g = 9 kg 20 g

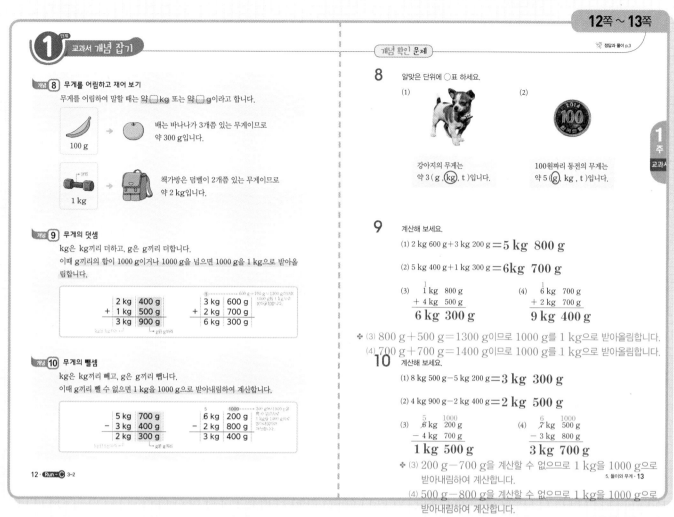

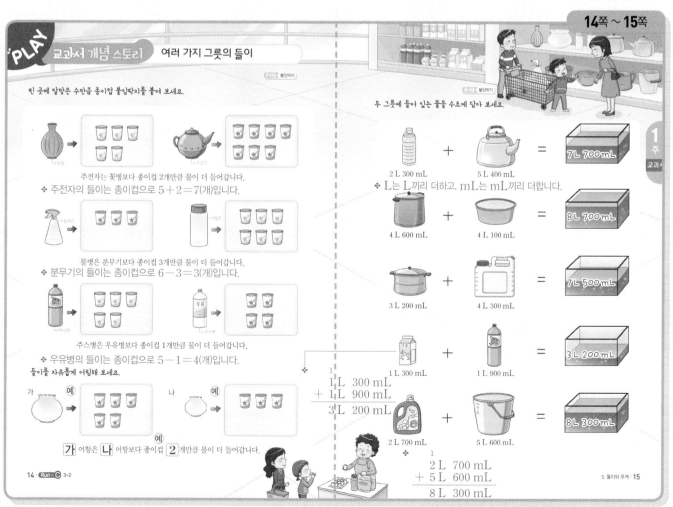

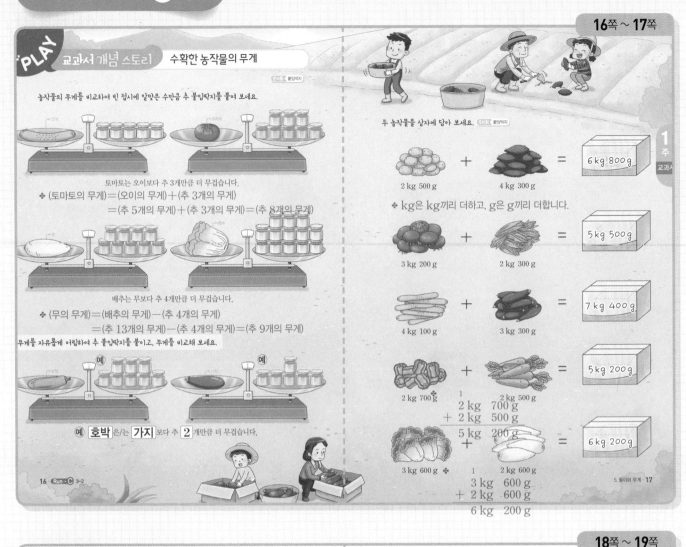

PLAY 교과서 개념 스토리 — 수확한 농작물의 무게

농작물의 무게를 비교하여 빈 접시에 알맞은 수만큼 추 붙임딱지를 붙여 보세요.

토마토는 오이보다 추 3개만큼 더 무겁습니다.
❖ (토마토의 무게)=(오이의 무게)+(추 3개의 무게)
　　　　　　　　=(추 5개의 무게)+(추 3개의 무게)=(추 8개의 무게)

배추는 무보다 추 4개만큼 더 무겁습니다.
❖ (무의 무게)=(배추의 무게)−(추 4개의 무게)
　　　　　　=(추 13개의 무게)−(추 4개의 무게)=(추 9개의 무게)

무게를 자유롭게 어림하여 추 붙임딱지를 붙이고, 무게를 비교해 보세요.

예) 호박 은/는 가지 보다 추 2 개만큼 더 무겁습니다.

두 농작물을 상자에 담아 보세요.

2 kg 500 g + 4 kg 300 g = 6 kg 800 g

❖ kg은 kg끼리 더하고, g은 g끼리 더합니다.

3 kg 200 g + 2 kg 300 g = 5 kg 500 g

4 kg 100 g + 3 kg 300 g = 7 kg 400 g

2 kg 700 g + 2 kg 500 g = 5 kg 200 g

$$\begin{array}{r} 1\quad\quad\quad\\ 2\ \text{kg}\ \ 700\ \text{g}\\ +\ 2\ \text{kg}\ \ 500\ \text{g}\\ \hline 5\ \text{kg}\ \ 200\ \text{g} \end{array}$$

3 kg 600 g ❖ + 2 kg 600 g = 6 kg 200 g

$$\begin{array}{r} 1\quad\quad\quad\\ 3\ \text{kg}\ \ 600\ \text{g}\\ +\ 2\ \text{kg}\ \ 600\ \text{g}\\ \hline 6\ \text{kg}\ \ 200\ \text{g} \end{array}$$

16 · Run - C 3-2　　　　　　5. 들이와 무게 · 17

---

② 단계 교과서 개념 다지기

정답과 풀이 p.4

개념 1 들이 비교하기

01 가 그릇에 물을 가득 채운 후 나 그릇에 옮겨 담았더니 오른쪽과 같이 물을 채우고 흘러 넘쳤습니다. 가와 나 중 들이가 더 많은 것은 어느 것인지 써 보세요.

(가)

❖ 물이 넘쳤으므로 가의 들이가 더 많습니다.

02 우유병과 주스병에 물을 가득 채운 후 모양과 크기가 같은 그릇에 각각 옮겨 담았더니 그림과 같이 물이 채워졌습니다. 우유병과 주스병 중에서 들이가 더 많은 것은 어느 것일까요?

(우유병)

❖ 옮겨 담은 물의 높이가 높을수록 들이가 더 많습니다. 우유병에 담긴 물의 높이가 더 높으므로 우유병의 들이가 더 많습니다.

03 주전자와 물병에 물을 가득 채운 후 모양과 크기가 같은 컵에 옮겨 담았습니다. □ 안에 알맞은 말이나 수를 써넣으세요.

주전자 이/가 물병 보다 컵 3 개만큼 물이 더 들어갑니다.

❖ 주전자의 들이는 컵으로 12개, 물병의 들이는 컵으로 9개입니다.
→ 주전자가 물병보다 컵 12−9=3(개)만큼 물이 더 들어갑니다.

개념 2 들이의 단위 알아보기

04 들이가 같은 것끼리 선으로 이어 보세요.

3 L 700 mL　　　　　　　3007 mL
3070 mL　　　　　　　　3 L 70 mL
3 L 7 mL　　　　　　　　3700 mL

❖ ·3 L 700 mL=3000 mL+700 mL=3700 mL
　·3070 mL=3000 mL+70 mL=3 L 70 mL
　·3 L 7 mL=3000 mL+7 mL=3007 mL

05 페트병에 우유 1 L와 200 mL를 넣었더니 가득 찼습니다. 페트병의 들이는 몇 L 몇 mL인지 구해 보세요.

(1 L 200 mL)

❖ 페트병의 들이는 1 L보다 200 mL 더 많으므로 1 L 200 mL입니다.

06 오른쪽 주전자의 들이는 4800 mL입니다. 이 주전자의 들이는 몇 L 몇 mL일까요?

4800 mL

(4 L 800 mL)

❖ 4800 mL=4000 mL+800 mL
　　　　　=4 L+800 mL
　　　　　=4 L 800 mL

18 · Run - C 3-2　　　　　　5. 들이와 무게 · 19

② 교과서 개념 다지기

정답과 풀이 p.5

개념 3 들이의 덧셈과 뺄셈

07 □ 안에 알맞은 수를 써넣으세요.

(1) 2 L 200 mL

$+2$ L 300 mL

4 L 500 mL

(2) 7 L 400 mL

-5 L 100 mL

2 L 300 mL

❖ (1) 2 L 200 mL+2 L 300 mL=4 L 500 mL
(2) 7 L 400 mL−5 L 100 mL=2 L 300 mL

08 들이의 계산 결과를 비교하여 ○ 안에 >, =, <를 알맞게 써넣으세요.

2 L 400 mL+2 L 100 mL $\bigotimes$ 8 L 300 mL−3 L 700 mL

❖ 2 L 400 mL+2 L 100 mL=4 L 500 mL,
8 L 300 mL−3 L 700 mL=4 L 600 mL
➜ 4 L 500 mL $<$ 4 L 600 mL

09 다음 두 그릇의 들이의 합은 몇 L 몇 mL인지 구해 보세요.

1 L 600 mL　　2 L 850 mL

(**4 L 450 mL**)

❖ 1 L 600 mL+2 L 850 mL=4 L 450 mL

개념 4 무게 비교하기

10 무게가 무거운 것부터 순서대로 기호를 써 보세요.

(㉡, ㉢, ㉠)

❖ 들었을 때 힘이 더 들어갈수록 무게가
더 무거우므로 가장 무거운 것은 에어컨이고 가장 가벼운 것은 부채입니다.

11 저울과 바둑돌로 오렌지와 토마토의 무게를 비교하고 있습니다. 어느 것이 얼마나 더 무거운지 □ 안에 알맞은 말이나 수를 써넣으세요.

❖ 오렌지의 무게는 바둑돌 14개의 무게와 같고 토마토의 무게는 바둑돌 17개의 무게와 같습니다.

토마토 가 **오렌지** 보다 바둑돌 **3** 개만큼 더 무겁습니다.

➜ 14 < 17이므로 토마토가 오렌지보다 바둑돌 17−14=3(개)만큼 더 무겁습니다.

12 저울에 배, 포도, 감을 올렸더니 다음과 같이 기울어졌습니다. 배, 포도, 감 중에서 가장 가벼운 과일은 무엇인지 써 보세요.

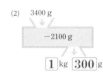

(감)

❖ 배와 포도 중에서 포도가 더 가볍고, 포도와 감 중에서 감이 더 가벼우므로 가장 가벼운 과일은 감입니다.

---

② 교과서 개념 다지기

정답과 풀이 p.5

개념 5 무게의 단위 알아보기

13 저울의 눈금을 보고 호박은 몇 kg 몇 g인지 구해 보세요.

➜ 2 kg 400 g

❖ 작은 눈금 한 칸의 크기는 100 g이므로 2 kg에서 작은 눈금 4칸 더 간 곳은 2 kg 400 g입니다.

14 무게가 같은 것끼리 선으로 이어 보세요.

4 kg 300 g　　　　　7 kg 20 g

5000 kg　　　　　　4300 g

7020 g　　　　　　5 t

❖ ·4 kg 300 g=4000 g+300 g=4300 g
·5000 kg=5 t
·7020 g=7000 g+20 g=7 kg 20 g

15 동물원에 있는 코끼리의 무게는 4 t입니다. 이 코끼리의 무게는 몇 kg인지 써 보세요.

(**4000 kg**)

❖ 1 t=1000 kg이므로 4 t=4000 kg입니다.

개념 6 무게의 덧셈과 뺄셈

16 □ 안에 알맞은 수를 써넣으세요.

(1) 2 kg 320 g

$+3$ kg 180 g

5 kg 500 g

(2) 3400 g

-2100 g

1 kg 300 g

❖ (1) 2 kg 320 g+3 kg 180 g=5 kg 500 g
(2) 3400 g−2100 g=1300 g
=1000 g+300 g=1 kg 300 g

17 혜미가 딴 사과의 무게는 2 kg 600 g이고, 가영이가 딴 사과의 무게는 1 kg 900 g입니다. 두 사람이 딴 사과의 무게는 모두 몇 kg 몇 g인지 구해 보세요.

(**4 kg 500 g**)

❖ 　　1
　　 2 kg　 600 g
　+ 1 kg　 900 g
　　 4 kg　 500 g

18 은우가 가방을 메고 저울에 올라가면 무게가 38 kg 800 g이고, 가방을 메지 않고 저울에 올라가면 무게가 36 kg 500 g입니다. 가방의 무게는 몇 kg 몇 g인지 구해 보세요.

38 kg 800 g　　36 kg 500 g

❖ (가방의 무게)　　　(**2 kg 300 g**)
=(은우가 가방을 메고 잰 무게)−(은우가 가방을 메지 않고 잰 무게)
=38 kg 800 g−36 kg 500 g
=2 kg 300 g

정답과 풀이 · **5**

3 단계 교과서 실력 다지기

정답과 풀이 p.6

★ 단위가 다른 들이 비교하기

1 들이가 더 많은 샴푸통의 기호를 써 보세요.

가 1 L 90 mL

나 1200 mL

답 __나__

개념 피드백 단위가 다른 들이를 비교할 때에는 1 L=1000 mL임을 이용하여 같은 단위로 통일한 다음 비교합니다.

❖ 1 L 90 mL＝1090 mL

→ 1090 mL＜1200 mL이므로 나 샴푸통의 들이가 더 많습니다.

1-1 들이를 비교하여 ○ 안에 ＞, ＝, ＜를 알맞게 써넣으세요.

(1) 2970 mL ＜ 3 L

(2) 1060 mL ＜ 1 L 600 mL

❖ (1) 3 L＝3000 mL이므로 2970 mL＜3000 mL입니다.
(2) 1 L 600 mL＝1600 mL이므로 1060 mL＜1600 mL입니다.

1-2 들이가 많은 것부터 순서대로 기호를 써 보세요.

㉠ 3750 mL   ㉡ 3 L
㉢ 3 L 570 mL   ㉣ 2900 mL

(㉠, ㉢, ㉡, ㉣)

❖ ㉡ 3 L＝3000 mL   ㉢ 3 L 570 mL＝3570 mL
→ 3750 mL ＞ 3570 mL ＞ 3000 mL ＞ 2900 mL
　㉠　　　 ㉢　　　　 ㉡　　　 ㉣

★ 단위가 다른 무게 비교하기

2 무게가 더 무거운 고양이의 기호를 써 보세요.

가 2 kg 100 g

나 2050 g

답 __가__

개념 피드백 단위가 다른 무게를 비교할 때에는 1 kg=1000 g임을 이용하여 같은 단위로 통일한 다음 비교합니다.

❖ 2 kg 100 g＝2100 g

→ 2100 g＞2050 g이므로 가 고양이가 더 무겁습니다.

2-1 무게를 비교하여 ○ 안에 ＞, ＝, ＜를 알맞게 써넣으세요.

(1) 4250 g ＜ 4 kg 500 g

(2) 2300 g ＞ 2 kg 50 g

❖ (1) 4 kg 500 g＝4500 g이므로 4250 g＜4500 g입니다.
(2) 2 kg 50 g＝2050 g이므로 2300 g＞2050 g입니다.

2-2 무게가 무거운 것부터 순서대로 기호를 써 보세요.

㉠ 2 kg 630 g   ㉡ 2063 g
㉢ 2800 g   ㉣ 2 kg 360 g

(㉢, ㉠, ㉣, ㉡)

❖ ㉠ 2 kg 630 g＝2630 g   ㉣ 2 kg 360 g＝2360 g
→ 2800 g ＞ 2630 g ＞ 2360 g ＞ 2063 g
　㉢　　 ㉠　　　 ㉣　　　 ㉡

3 단계 교과서 실력 다지기

정답과 풀이 p.6

★ 들이의 덧셈, 뺄셈의 활용

3 2 L 700 mL의 물이 들어 있는 수조에 1 L 900 mL의 물을 더 부었습니다. 수조에 있는 물은 모두 몇 L 몇 mL인지 식을 쓰고 답을 구해 보세요.

식 **2 L 700 mL＋1 L 900 mL＝4 L 600 mL**

답 **4 L 600 mL**

개념 피드백 • 들이의 덧셈과 뺄셈
① L는 L끼리 계산하고, mL는 mL끼리 계산합니다.
② mL끼리의 합이 1000 mL이거나 1000 mL를 넘으면 1000 mL를 1 L로 받아올림합니다.
또, mL끼리 뺄 수 없으면 1 L를 1000 mL로 받아내림하여 계산합니다.

❖ (수조에 들어 있던 물의 양)＋(더 부은 물의 양)
＝2 L 700 mL＋1 L 900 mL＝4 L 600 mL

3-1 주영이는 식혜 3 L 500 mL 중에서 1 L 800 mL를 친구들과 마셨습니다. 남은 식혜는 몇 L 몇 mL인지 식을 쓰고 답을 구해 보세요.

식 **3 L 500 mL－1 L 800 mL＝1 L 700 mL**

답 **1 L 700 mL**

❖ (남은 식혜의 양)＝(처음 식혜의 양)－(친구들과 마신 식혜의 양)
＝3 L 500 mL－1 L 800 mL
＝1 L 700 mL

3-2 물이 1분에 2 L 450 mL씩 나오는 수도가 있습니다. 이 수도로 3분 동안 받을 수 있는 물의 양은 모두 몇 L 몇 mL인지 구해 보세요.

(7 L 350 mL)

❖ (3분 동안 받을 수 있는 물의 양)
＝2 L 450 mL＋2 L 450 mL＋2 L 450 mL
＝4 L 900 mL＋2 L 450 mL
＝7 L 350 mL

★ 무게의 덧셈, 뺄셈의 활용

4 감자를 준호는 7 kg 500 g 캤고 승기는 5 kg 600 g 캤습니다. 두 사람이 캔 감자는 모두 몇 kg 몇 g인지 식을 쓰고 답을 구해 보세요.

식 **7 kg 500 g＋5 kg 600 g＝13 kg 100 g**

답 **13 kg 100 g**

개념 피드백 • 무게의 덧셈과 뺄셈
① kg은 kg끼리 계산하고, g은 g끼리 계산합니다.
② g끼리의 합이 1000 g이거나 1000 g을 넘으면 1000 g을 1 kg으로 받아올림합니다.
또, g끼리 뺄 수 없으면 1 kg을 1000 g으로 받아내림하여 계산합니다.

❖ (준호가 캔 감자의 무게)＋(승기가 캔 감자의 무게)
＝7 kg 500 g＋5 kg 600 g
＝13 kg 100 g

4-1 가장 무거운 무게와 가장 가벼운 무게의 차는 몇 kg 몇 g인지 구해 보세요.

3750 g   3 kg 570 g   2 kg 400 g

(1 kg 350 g)

❖ 3750 g＝3 kg 750 g
가장 무거운 무게: 3 kg 750 g. 가장 가벼운 무게: 2 kg 400 g
→ 3 kg 750 g－2 kg 400 g＝1 kg 350 g

4-2 고양이의 무게는 2 kg 690 g이고 강아지의 무게는 고양이의 무게의 2배입니다. 강아지의 무게는 몇 kg 몇 g인지 구해 보세요.

2 kg 690 g

(5 kg 380 g)

❖ (강아지의 무게)＝2 kg 690 g＋2 kg 690 g
＝5 kg 380 g

❖ 실제 들이 2 L 700 mL와 어림한 들이의 차가 더 적을수록 실제 들이에 더 가깝게 어림한 것입니다.

실제 들이와 어림한 들이의 차는

㉠ 2 L 700 mL－2 L 500 mL＝200 mL,

㉡ 2 L 850 mL－2 L 700 mL＝150 mL이고

200 mL＞150 mL이므로 실제 들이에 더 가깝게 어림한 것은 ㉡입니다.

※ 정답과 풀이 p.7

③ 단계 교과서 실력 다지기

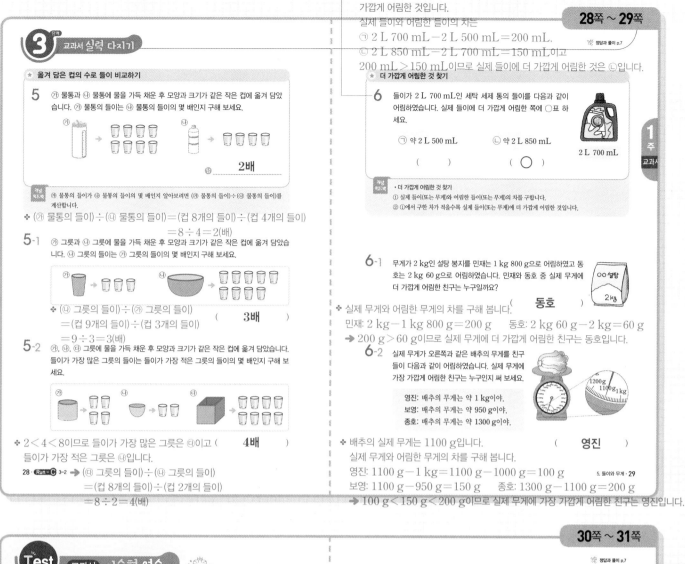

★ 옮겨 담은 컵의 수로 들이 비교하기

5 ㉮ 물통과 ㉯ 물통에 물을 가득 채운 후 모양과 크기가 같은 작은 컵에 옮겨 담았습니다. ㉮ 물통의 들이는 ㉯ 물통의 들이의 몇 배인지 구해 보세요.

답 **2배**

개념 콕콕 ㉮ 물통의 들이가 ㉯ 물통의 들이의 몇 배인지 알아보려면 (㉮ 물통의 들이)÷(㉯ 물통의 들이)를 계산합니다.

❖ (㉮ 물통의 들이)÷(㉯ 물통의 들이)＝(컵 8개의 들이)÷(컵 4개의 들이)
＝8÷4＝2(배)

5-1 ㉮ 그릇과 ㉯ 그릇에 물을 가득 채운 후 모양과 크기가 같은 작은 컵에 옮겨 담았습니다. ㉯ 그릇의 들이는 ㉮ 그릇의 들이의 몇 배인지 구해 보세요.

❖ (㉯ 그릇의 들이)÷(㉮ 그릇의 들이)
＝(컵 9개의 들이)÷(컵 3개의 들이)   (**3배**)
＝9÷3＝3(배)

5-2 ㉮, ㉯, ㉰ 그릇에 물을 가득 채운 후 모양과 크기가 같은 작은 컵에 옮겨 담았습니다. 들이가 가장 많은 그릇의 들이는 들이가 가장 적은 그릇의 들이의 몇 배인지 구해 보세요.

❖ 2＜4＜8이므로 들이가 가장 많은 그릇은 ㉰이고   (**4배**)
들이가 가장 적은 그릇은 ㉯입니다.

❖ (㉰ 그릇의 들이)÷(㉯ 그릇의 들이)
＝(컵 8개의 들이)÷(컵 2개의 들이)
＝8÷2＝4(배)

28 · Run=C 3-2

★ 더 가깝게 어림한 것 찾기

6 들이가 2 L 700 mL인 세탁 세제 통의 들이를 다음과 같이 어림하였습니다. 실제 들이에 더 가깝게 어림한 쪽에 ○표 하세요.

㉠ 약 2 L 500 mL   ㉡ 약 2 L 850 mL

2 L 700 mL

( )   (○)

개념 콕콕 • 더 가깝게 어림한 것 찾기
① 실제 들이(또는 무게)와 어림한 들이(또는 무게)의 차를 구합니다.
② ①에서 구한 차가 적을수록 실제 들이(또는 무게)에 더 가깝게 어림한 것입니다.

6-1 무게가 2 kg인 설탕 봉지를 민재는 1 kg 800 g으로 어림하였고 동호는 2 kg 60 g으로 어림하였습니다. 민재와 동호 중 실제 무게에 더 가깝게 어림한 친구는 누구일까요?

○○ 설탕
2 kg

(**동호**)

❖ 실제 무게와 어림한 무게의 차를 구해 봅니다.
민재: 2 kg－1 kg 800 g＝200 g   동호: 2 kg 60 g－2 kg＝60 g
➡ 200 g＞60 g이므로 실제 무게에 더 가깝게 어림한 친구는 동호입니다.

6-2 실제 무게가 오른쪽과 같은 배추의 무게를 친구들이 다음과 같이 어림하였습니다. 실제 무게에 가장 가깝게 어림한 친구는 누구인지 써 보세요.

영진: 배추의 무게는 약 1 kg이야.
보영: 배추의 무게는 약 950 g이야.
종호: 배추의 무게는 약 1300 g이야.

1200 g
1100 g 1 kg

(**영진**)

❖ 배추의 실제 무게는 1100 g입니다.
실제 무게와 어림한 무게의 차를 구해 봅니다.
영진: 1100 g－1 kg＝1100 g－1000 g＝100 g
보영: 1100 g－950 g＝150 g   종호: 1300 g－1100 g＝200 g
➡ 100 g＜150 g＜200 g이므로 실제 무게에 가장 가깝게 어림한 친구는 영진입니다.

5. 들이와 무게 · 29

Test 교과서 서술형 연습

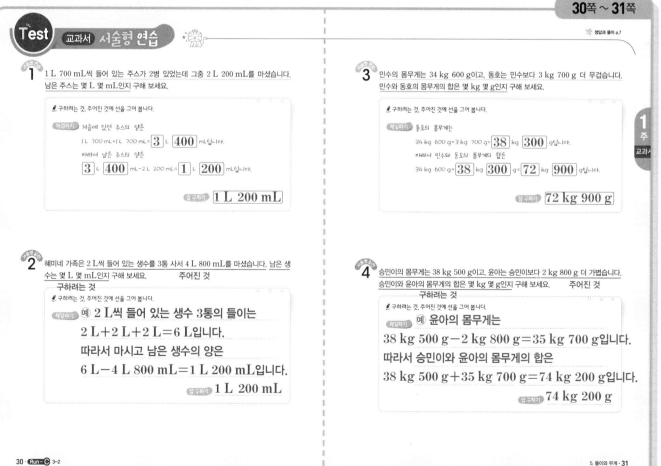

※ 정답과 풀이 p.7

1 1 L 700 mL씩 들어 있는 주스가 2병 있었는데 그중 2 L 200 mL를 마셨습니다. 남은 주스는 몇 L 몇 mL인지 구해 보세요.

✏ 구하려는 것, 주어진 것에 선을 그어 봅니다.

해결하기 처음에 있던 주스의 양은
1 L 700 mL＋1 L 700 mL＝**3** L **400** mL입니다.
따라서 남은 주스의 양은
3 L **400** mL－2 L 200 mL＝**1** L **200** mL입니다.

답 구하기 **1 L 200 mL**

2 혜미네 가족은 2 L씩 들어 있는 생수를 3통 사서 4 L 800 mL를 마셨습니다. 남은 생수는 몇 L 몇 mL인지 구해 보세요.   주어진 것
구하려는 것

✏ 구하려는 것, 주어진 것에 선을 그어 봅니다.

해결하기 예 2 L씩 들어 있는 생수 3통의 들이는
2 L＋2 L＋2 L＝6 L입니다.
따라서 마시고 남은 생수의 양은
6 L－4 L 800 mL＝1 L 200 mL입니다.

답 구하기 **1 L 200 mL**

3 민수의 몸무게는 34 kg 600 g이고, 동호는 민수보다 3 kg 700 g 더 무겁습니다. 민수와 동호의 몸무게의 합은 몇 kg 몇 g인지 구해 보세요.

✏ 구하려는 것, 주어진 것에 선을 그어 봅니다.

해결하기 동호의 몸무게는
34 kg 600 g＋3 kg 700 g＝**38** kg **300** g입니다.
따라서 민수와 동호의 몸무게의 합은
34 kg 600 g＋**38** kg **300** g＝**72** kg **900** g입니다.

답 구하기 **72 kg 900 g**

4 승민이의 몸무게는 38 kg 500 g이고, 윤아는 승민이보다 2 kg 800 g 더 가볍습니다. 승민이와 윤아의 몸무게의 합은 몇 kg 몇 g인지 구해 보세요.   주어진 것
구하려는 것

✏ 구하려는 것, 주어진 것에 선을 그어 봅니다.

해결하기 예 윤아의 몸무게는
38 kg 500 g－2 kg 800 g＝35 kg 700 g입니다.
따라서 승민이와 윤아의 몸무게의 합은
38 kg 500 g＋35 kg 700 g＝74 kg 200 g입니다.

답 구하기 **74 kg 200 g**

30 · Run=C 3-2

5. 들이와 무게 · 31

정답과 풀이 · **7**

PLAY 사고력 개념 스토리 작은 그릇에 옮겨 담기

양동이에 가득 채운 물을 주어진 들이의 그릇에 옮겨 담으려고 합니다. 그릇을 몇 개까지 채울 수 있는지 붙임딱지를 더 붙여 보세요.

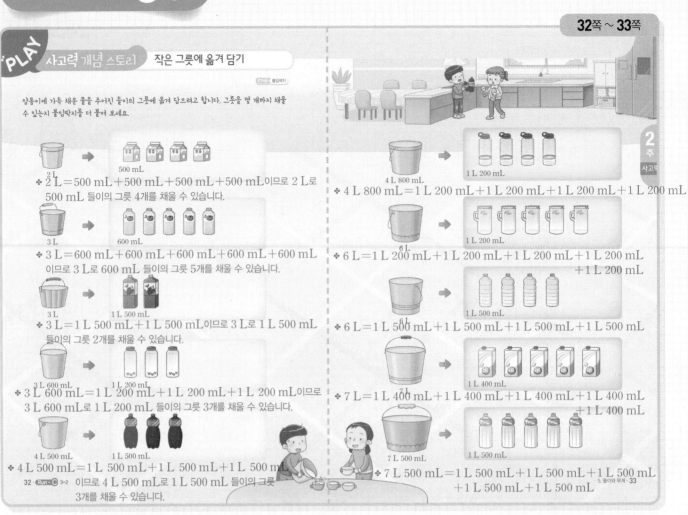

❖ 2 L=500 mL+500 mL+500 mL+500 mL이므로 2 L로 500 mL 들이의 그릇 4개를 채울 수 있습니다.

❖ 3 L=600 mL+600 mL+600 mL+600 mL+600 mL 이므로 3 L로 600 mL 들이의 그릇 5개를 채울 수 있습니다.

❖ 3 L=1 L 500 mL+1 L 500 mL이므로 3 L로 1 L 500 mL 들이의 그릇 2개를 채울 수 있습니다.

❖ 3 L 600 mL=1 L 200 mL+1 L 200 mL+1 L 200 mL이므로 3 L 600 mL로 1 L 200 mL 들이의 그릇 3개를 채울 수 있습니다.

❖ 4 L 500 mL=1 L 500 mL+1 L 500 mL+1 L 500 mL 이므로 4 L 500 mL로 1 L 500 mL 들이의 그릇 3개를 채울 수 있습니다.

❖ 4 L 800 mL=1 L 200 mL+1 L 200 mL+1 L 200 mL+1 L 200 mL

❖ 6 L=1 L 200 mL+1 L 200 mL+1 L 200 mL+1 L 200 mL +1 L 200 mL

❖ 6 L=1 L 500 mL+1 L 500 mL+1 L 500 mL+1 L 500 mL

❖ 7 L=1 L 400 mL+1 L 400 mL+1 L 400 mL+1 L 400 mL +1 L 400 mL

❖ 7 L 500 mL=1 L 500 mL+1 L 500 mL+1 L 500 mL +1 L 500 mL+1 L 500 mL

PLAY 사고력 개념 스토리 간식의 무게 구하기

찜질방에서 친구들이 간식을 들고 저울에 올라갑니다. 친구들이 들고 있는 간식 쟁반의 무게를 구하여 알맞은 붙임딱지를 붙여 보세요.

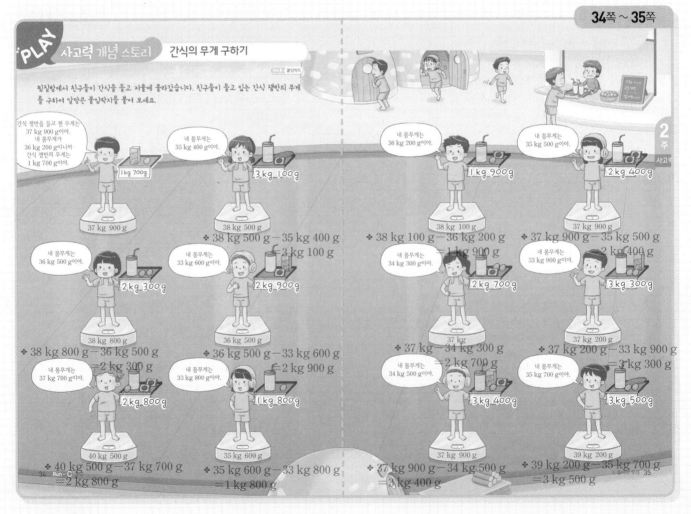

간식 쟁반을 들고 잰 무게는 37 kg 900 g이야. 내 몸무게가 36 kg 200 g이니까 간식 쟁반의 무게는 1 kg 700 g이야.

내 몸무게는 35 kg 400 g이야.

❖ 38 kg 500 g−35 kg 400 g =3 kg 100 g

내 몸무게는 36 kg 500 g이야.

❖ 38 kg 800 g−36 kg 500 g =2 kg 300 g

내 몸무게는 37 kg 700 g이야.

❖ 40 kg 500 g−37 kg 700 g =2 kg 800 g

내 몸무게는 33 kg 600 g이야.

❖ 36 kg 500 g−33 kg 600 g =2 kg 900 g

내 몸무게는 33 kg 800 g이야.

❖ 35 kg 600 g−33 kg 800 g =1 kg 800 g

내 몸무게는 36 kg 200 g이야.

❖ 38 kg 100 g−36 kg 200 g =1 kg 900 g

내 몸무게는 35 kg 500 g이야.

❖ 37 kg 900 g−35 kg 500 g =2 kg 400 g

내 몸무게는 34 kg 300 g이야.

❖ 37 kg−34 kg 300 g =2 kg 700 g

내 몸무게는 33 kg 900 g이야.

❖ 37 kg 200 g−33 kg 900 g =3 kg 300 g

내 몸무게는 34 kg 500 g이야.

❖ 37 kg 900 g−34 kg 500 g =3 kg 400 g

내 몸무게는 35 kg 700 g이야.

❖ 39 kg 200 g−35 kg 700 g =3 kg 500 g

1 음료수통의 들이를 조사하였습니다. 들이가 가장 많은 음료수통과 들이가 가장 적은 음료수통을 각각 찾아 기호를 써 보세요.

 가 나 다 라

1520 mL　　1250 mL　　1 L 600 mL　　1 L 580 mL

❶ 음료수통 다의 들이는 몇 mL일까요?

(**1600 mL**)

❖ 1 L 600 mL=1000 mL+600 mL=1600 mL

❷ 음료수통 라의 들이는 몇 mL일까요?

(**1580 mL**)

❖ 1 L 580 mL=1000 mL+580 mL=1580 mL

❸ 들이가 가장 많은 음료수통을 찾아 기호를 써 보세요.

(**다**)

❖ 1600>1580>1520>1250이므로
다　　라　　가　　나

들이가 가장 많은 음료수통은 다입니다.

❹ 들이가 가장 적은 음료수통을 찾아 기호를 써 보세요.

(**나**)

2 반려동물의 무게를 조사했습니다. 무게가 가장 무거운 반려동물과 무게가 가장 가벼운 반려동물을 각각 찾아 기호를 써 보세요.

 가 나 다 라

1 kg 90 g　　1840 g　　1 kg 780 g　　1800 g

❶ 반려동물 가의 무게는 몇 g일까요?

(**1090 g**)

❖ 1 kg 90 g=1000 g+90 g=1090 g

❷ 반려동물 다의 무게는 몇 g일까요?

(**1780 g**)

❖ 1 kg 780 g=1000 g+780 g=1780 g

❸ 무게가 가장 무거운 반려동물을 찾아 기호를 써 보세요.

(**나**)

❖ 1840>1800>1780>1090이므로
나　　라　　다　　가

무게가 가장 무거운 반려동물은 나입니다.

❹ 무게가 가장 가벼운 반려동물을 찾아 기호를 써 보세요.

(**가**)

---

3 떡볶이 1인분을 만들기 위해서 필요한 재료입니다. 떡볶이를 10인분 만들었더니 간장 2 L 850 mL, 물엿 1 L 900 mL가 남았습니다. 떡볶이를 만들기 전에 있었던 간장과 물엿은 각각 몇 L 몇 mL인지 구해 보세요.

떡볶이 재료 (1인분)
떡 350g　　어묵 270g
대파 70g　　고추장 25g
간장 35mL　　물엿 44mL

❶ 떡볶이를 10인분 만드는 데 필요한 간장은 몇 mL일까요?

(**350 mL**)

❖ 35×10=350 (mL)

❷ 떡볶이를 10인분 만드는 데 필요한 물엿은 몇 mL일까요?

(**440 mL**)

❖ 44×10=440 (mL)

❸ 떡볶이를 만들기 전에 있었던 간장과 물엿은 각각 몇 L 몇 mL인지 구해 보세요.

간장 (**3 L 200 mL**)
물엿 (**2 L 340 mL**)

❖ 간장: 2 L 850 mL+350 mL=3 L 200 mL
물엿: 1 L 900 mL+440 mL=2 L 340 mL

4 혜영이는 농장에서 딴 사과 9개를 바구니에 담아 무게를 재었더니 다음과 같았습니다. 빈 바구니의 무게가 300 g이라면 사과 한 개의 무게는 몇 g인지 구해 보세요. (단, 사과 1개의 무게는 각각 같습니다.)

❶ 사과 9개를 담은 바구니의 무게는 몇 g일까요?

(**1200 g**)

❖ 저울의 눈금을 읽으면 1200 g입니다.

❷ 사과 9개의 무게는 몇 g일까요?

(**900 g**)

❖ (사과 9개의 무게)
=(사과 9개를 담은 바구니의 무게)−(빈 바구니의 무게)
=1200 g−300 g=900 g

❸ 사과 한 개의 무게는 몇 g일까요?

(**100 g**)

❖ 사과 9개의 무게가 900 g이므로 사과 1개의 무게는 100 g입니다.

2단계 교과 사고력 확장

정답과 풀이 p.10

1 A 마트와 B 마트에서는 양파를 다음과 같이 담아서 팔고 있습니다. 3000원으로 더 많은 양의 양파를 살 수 있는 마트는 어디인지 구해 보세요.

① 3000원으로 A 마트에서 살 수 있는 양파는 몇 kg 몇 g일까요?

(**1 kg 680 g**)

② 3000원으로 B 마트에서 살 수 있는 양파는 몇 kg 몇 g일까요?

(**1 kg 700 g**)

❖ 1500＋1500＝3000(원)이므로 3000원으로는 1500원으로 살 수 있는 양파의 2배를 살 수 있습니다.
➡ 850 g＋850 g＝1700 g＝1 kg 700 g

③ A 마트와 B 마트 중 어느 마트에서 3000원으로 더 많은 양의 양파를 살 수 있을까요?

(**B 마트**)

❖ 1 kg 680 g＜1 kg 700 g이므로 B 마트에서 3000원으로 더 많은 양의 양파를 살 수 있습니다.

2 가 어항에는 물이 2 L 들어 있고 나 어항에는 물이 600 mL 들어 있습니다. 두 어항의 물의 양이 같아지려면 가 어항에서 나 어항으로 물을 몇 mL 옮겨야 하는지 구해 보세요.

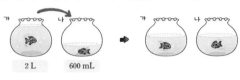

① 가와 나 어항에 들어 있는 물의 양은 모두 몇 L 몇 mL일까요?

(**2 L 600 mL**)

② 두 어항의 물의 양이 같아지려면 한 어항에 물을 몇 L 몇 mL씩 담아야 할까요?

(**1 L 300 mL**)

❖ 2 L 600 mL＝1 L 300 mL＋1 L 300 mL이므로 한 어항에 물을 1 L 300 mL씩 담아야 합니다.

③ 두 어항의 물의 양이 같아지려면 가 어항에서 나 어항으로 물을 몇 mL 옮겨야 할까요?

(**700 mL**)

❖ 2 L－1 L 300 mL＝700 mL

2단계 교과 사고력 확장

정답과 풀이 p.10

3 오이 5개의 무게와 무 2개의 무게를 재었더니 다음과 같았습니다. 오이 3개와 무 3개의 무게의 합은 몇 kg 몇 g인지 구해 보세요. (단, 같은 종류의 채소 1개의 무게는 각각 같습니다.)

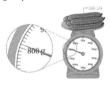 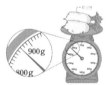

① 오이 한 개의 무게는 몇 g일까요?

 **162** g

❖ 오이 5개의 무게가 810 g이므로 오이 1개의 무게는 810÷5＝162 (g)입니다.

② 무 한 개의 무게는 몇 g일까요?

 **435** g

❖ 무 2개의 무게가 870 g이므로 무 1개의 무게는 870÷2＝435 (g)입니다.

③ 오이 3개와 무 3개의 무게의 합은 몇 kg 몇 g일까요?

(**1 kg 791 g**)

❖ (오이 3개의 무게)＝162×3＝486 (g)
(무 3개의 무게)＝435×3＝1305 (g)
➡ 486 g＋1305 g＝1791 g＝1 kg 791 g

4 무게가 같은 야구공 5개를 상자에 담아 무게를 재어 보니 1 kg 900 g이었습니다. 그중에서 야구공 2개를 빼낸 후 다시 무게를 재어 보니 1 kg 600 g이었습니다. 상자만의 무게는 몇 g인지 구해 보세요.

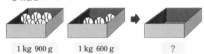

1 kg 900 g   1 kg 600 g   ?

① 빼낸 야구공 2개의 무게는 몇 g일까요?

(**300 g**)

❖ (빼낸 야구공 2개의 무게)＝1 kg 900 g－1 kg 600 g ＝300 g

② 야구공 1개의 무게는 몇 g일까요?

(**150 g**)

❖ 300÷2＝150 (g)

③ 상자만의 무게는 몇 kg 몇 g일까요?

 상자만의 무게는 **1 kg 150 g** 입니다.

❖ (야구공 5개의 무게)＝150×5＝750 (g)
➡ (상자만의 무게)
＝(야구공 5개가 들어 있는 상자의 무게)－(야구공 5개의 무게)
＝1 kg 900 g－750 g
＝1 kg 150 g

3단계 교과 사고력 완성

평가 영역 ☑개념 이해력 □개념 응용력 □창의력 □문제 해결력

1 들이가 5 L인 수조에 물이 1 L 750 mL만큼 들어 있습니다. 400 mL 들이의 비커로 물을 적어도 몇 번 더 부어야 수조를 가득 채울 수 있는지 구해 보세요.

1 L 750 mL   400 mL

❶ 수조를 가득 채우려면 물이 몇 L 몇 mL 더 필요할까요?

(**3 L 250 mL**)

❖ (필요한 물의 양)=(수조의 들이)−(수조에 들어 있는 물의 양)
=5 L−1 L 750 mL=3 L 250 mL

❷ 수조를 가득 채우기 위해 더 부어야 하는 물의 양은 몇 mL일까요?

(**3250 mL**)

❖ 3 L 250 mL=3000 mL+250 mL=3250 mL

❸ 400 mL 들이의 비커로 물을 적어도 몇 번 더 부어야 수조를 가득 채울 수 있을까요?

❖ 400 mL 들이의 비커로 물을 8번 부으면   (**9번**)
400×8=3200 (mL)입니다. 수조를 가득 채우려면
3250 mL−3200 mL=50 mL가 모자라므로 1번 더 부어야 합니다.
따라서 비커로 물을 적어도 9번 더 부어야 합니다.

❖ 1분은 60초입니다. 10초 동안 8 mL의 물이 새므로
1분 동안에는 8×6=48 (mL)의 물이 샙니다.
또, 1시간은 60분이므로 1시간 동안에는
48×60=2880 (mL)의 물이 샙니다.
➡ 2880 mL=2 L 880 mL

평가 영역 □개념 이해력 ☑개념 응용력 □창의력 □문제 해결력

2 수도꼭지가 고장나서 10초 동안 8 mL의 물이 샙니다. 1시간 동안 새는 물은 모두 몇 L 몇 mL인지 구해 보세요. (단, 수도꼭지에서 새는 물의 양은 일정합니다.)

(**2 L 880 mL**)

평가 영역 □개념 이해력 □개념 응용력 ☑창의력 □문제 해결력

3 혹등고래와 코끼리의 무게를 합하면 36 t입니다. 혹등고래의 무게는 코끼리의 무게의 5배입니다. 혹등고래의 무게는 몇 t인지 구해 보세요.

❶ 혹등고래와 코끼리의 무게의 합은 코끼리의 무게의 몇 배일까요?

┌(코끼리의 무게)×5   (**6배**)
❖ (혹등고래의 무게)+(코끼리의 무게)=(코끼리의 무게)×6
❷ 코끼리의 무게는 몇 t일까요?

(**6 t**)

❖ 코끼리의 무게를 □ t이라고 하면 □×6=36, □=6입니다.
❸ 혹등고래의 무게는 몇 t일까요?

(**30 t**)

❖ (혹등고래의 무게)=(코끼리의 무게)×5=6×5=30 (t)

Test 종합평가   5. 들이와 무게

맞은 개수

1 각 그릇에 물을 가득 담아서 모양과 크기가 같은 그릇에 각각 부었습니다. 들이가 많은 것부터 순서대로 1, 2, 3을 써 보세요.

(3)   (1)   (2)

❖ 모양과 크기가 같은 그릇에 부었으므로 물의 높이가 높을수록 들이가 더 많습니다.

2 □ 안에 알맞은 수를 써넣으세요.

(1) 3 L 250 mL= **3250** mL

(2) 8760 mL= **8** L **760** mL

❖ (1) 3 L 250 mL=3000 mL+250 mL=3250 mL
(2) 8760 mL=8000 mL+760 mL=8 L 760 mL

3 어느 단위를 사용하여 무게를 재면 편리할지 알맞은 단위에 ○표 하세요.

(1)   (2)

g   ⓖ   t

ⓖ   ⓣ

4 무게가 같은 것끼리 선으로 이어 보세요.

7 t   7020 g
7 kg 200 g   7200 g
7 kg 20 g   7000 kg

❖ 7 t=7000 kg
7 kg 200 g=7000 g+200 g=7200 g
7 kg 20 g=7000 g+20 g=7020 g

5 들이를 비교하여 ○ 안에 >, =, <를 알맞게 써넣으세요.

6250 mL < 6 L 520 mL

❖ 6 L 520 mL=6520 mL
➡ 6250 mL<6520 mL

6 □ 안에 알맞은 수를 써넣으세요.

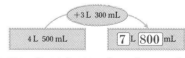

+3 L 300 mL

4 L 500 mL   **7** L **800** mL

❖ 4 L 500 mL+3 L 300 mL=7 L 800 mL

7 계산해 보세요.

(1)   7   1000   (2)   9   1000
8 kg 300 g   10 kg 250 g
− 2 kg 700 g   − 4 kg 800 g
5 kg 600 g   **5 kg 450 g**

Test 종합평가 5. 들이와 무게

정답과 풀이 p.12

8 무게가 무거운 것부터 순서대로 기호를 써 보세요.

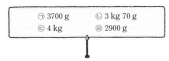

| ㉠ 3700 g | ㉡ 3 kg 70 g |
| ㉢ 4 kg | ㉣ 2900 g |

(㉢, ㉠, ㉡, ㉣)

❖ ㉠ 3700 g ㉡ 3070 g ㉢ 4000 g ㉣ 2900 g
➡ 4000 g > 3700 g > 3070 g > 2900 g
   ㉢   ㉠   ㉡   ㉣

9 □ 안에 알맞은 수를 써넣으세요.

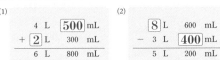

(1)
```
    4 L   500  mL
+   2 L   300  mL
───────────────
    6 L   800  mL
```
(2)
```
    8 L   600  mL
-   3 L   400  mL
───────────────
    5 L   200  mL
```

❖ (1) 4+□=6에서 □=2이고, □+300=800에서 □=500입니다.
   (2) □−3=5에서 □=8이고, 600−□=200에서 □=400입니다.

10 사이다가 2 L 400 mL 있습니다. 진영이와 친구들이 그중에서 1 L 150 mL를 마셨습니다. 남은 사이다는 몇 L 몇 mL인지 구해 보세요.

(**1 L 250 mL**)

❖ 2 L 400 mL−1 L 150 mL=1 L 250 mL

11 가장 무거운 물건과 가장 가벼운 물건의 무게의 차는 몇 kg 몇 g인지 구해 보세요.

| 8 kg 400 g | 3 kg 300 g | 1 kg 700 g |

(**6 kg 700 g**)

❖ 8 kg 400 g > 3 kg 300 g > 1 kg 700 g이므로 가장 무거운 물건은 소파이고 가장 가벼운 물건은 시계입니다.
➡ 8 kg 400 g − 1 kg 700 g = 6 kg 700 g

12 똑같은 양동이에 물을 가득 채우려면 ㉮ 그릇과 ㉯ 그릇으로 각각 다음과 같이 부어야 합니다. ㉮와 ㉯ 중 어느 그릇의 들이가 더 많을까요?

㉮	㉯
11번	8번

(**㉯**)

❖ 양동이를 가득 채우기 위해 물을 부은 횟수가 적을수록 들이가 더 많습니다.

13 들이가 2 L 300 mL인 물통이 있습니다. 이 물통의 들이를 친구들이 다음과 같이 어림하였습니다. 어림을 가장 잘한 친구는 누구인지 써 보세요.

혜연	호동	수근
2 L 100 mL	2 L	2 L 400 mL

(**수근**)

❖ 실제 들이와 어림한 들이의 차가 적을수록 어림을 잘한 것입니다.
   혜연: 2 L 300 mL−2 L 100 mL=200 mL
   호동: 2 L 300 mL−2 L=300 mL
   수근: 2 L 400 mL−2 L 300 mL=100 mL
➡ 100 mL < 200 mL < 300 mL이므로 어림을 가장 잘한 친구는 수근입니다.

Test 종합평가 5. 들이와 무게

정답과 풀이 p.12

14 민재의 몸무게는 35 kg 800 g이고 준호는 민재보다 1 kg 500 g 더 무겁습니다. 두 사람의 몸무게의 합은 몇 kg 몇 g인지 구해 보세요.

(**73 kg 100 g**)

❖ (준호의 몸무게)=35 kg 800 g+1 kg 500 g=37 kg 300 g
➡ (두 사람의 몸무게의 합)=35 kg 800 g+37 kg 300 g
   =73 kg 100 g

15 ㉮ 비커에는 1 L의 물이 들어 있고 ㉯ 비커에는 400 mL의 물이 들어 있습니다. 두 비커의 물의 양이 같아지려면 ㉮ 비커에서 ㉯ 비커로 물을 몇 mL 옮겨야 하는지 구해 보세요.

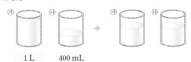

㉮   ㉯   ㉮   ㉯
1 L   400 mL

(**300 mL**)

❖ (두 비커에 들어 있는 물의 양)=1 L 400 mL=1400 mL
   1400 mL=700 mL+700 mL이므로 한 비커에 물을 700 mL씩 담아야 합니다.
➡ (㉮ 비커에서 ㉯ 비커로 옮겨야 하는 물의 양)=1 L−700 mL=300 mL

16 무게가 같은 참외 5개를 바구니에 담아 무게를 재었더니 다음과 같았습니다. 빈 바구니의 무게가 400 g이라면 참외 1개의 무게는 몇 g인지 구해 보세요.

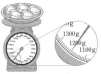

1300 g
1200 g
1100 g

(**160 g**)

❖ 참외 5개가 담긴 바구니의 무게는 1200 g이므로
   참외 5개의 무게는 1200 g−400 g=800 g입니다.
➡ (참외 1개의 무게)=800÷5=160 (g)

특강 창의·융합 사고력

정답과 풀이 p.12

1 재희네 가족은 하루에 물을 각각 2 L씩 마시기로 계획을 세웠는데 엄마와 아빠가 아직 목표량을 채우지 못했습니다. 목표량만큼 마시기 위해 더 마셔야 하는 물의 양은 엄마와 아빠 중 누가 몇 mL 더 많은지 구해 보세요.

(아빠는 오늘 하루 동안 물을 250 mL씩 5번 마셨단다.)
(더 마셔야 하는 물의 양은 누가 몇 mL 더 많을까요?)
(엄마는 오늘 하루 동안 물을 200 mL씩 6번 마셨단다.)

(1) 목표량만큼 마시려면 엄마는 몇 mL를 더 마셔야 할까요?

(**800 mL**)

❖ (엄마가 마신 물의 양)=200×6=1200 (mL) ➡ 1 L 200 mL
   (더 마셔야 하는 물의 양)=2 L−1 L 200 mL=800 mL

(2) 목표량만큼 마시려면 아빠는 몇 mL를 더 마셔야 할까요?

(**750 mL**)

❖ (아빠가 마신 물의 양)=250×5=1250 (mL) ➡ 1 L 250 mL
   (더 마셔야 하는 물의 양)=2 L−1 L 250 mL=750 mL

(3) 목표량만큼 마시기 위해 더 마셔야 하는 물의 양은 엄마와 아빠 중 누가 몇 mL 더 많은지 차례로 써 보세요.

(**엄마**), (**50 mL**)

❖ 800 mL > 750 mL이므로 더 마셔야 하는 물의 양은 엄마가
   800 mL−750 mL=50 mL 더 많습니다.

6 자료의 정리

단원과 관련된
자료의 정리에 대한
이야기를 살펴보세요.

자료의 조사와 정리

정수네 반 담임 선생님께서는 학생들이 좋아하는 간식을 조사해서 수가 가장 많은 간식을 수요일 점심 시간에 사 주기로 약속하셨습니다. 각자 먹고 싶은 간식을 골라 게시판에 붙임딱지를 붙였습니다. 선생님께서 사 주실 간식을 알아볼까요?

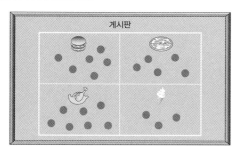

게시판

게시판에 붙인 붙임딱지를 보고 어느 간식이 가장 인기가 있는지 한눈에 알아보기 어렵습니다.
그래서 선생님께서는 조사한 자료를 표와 그래프로 나타내어 보기로 했습니다.

🍔 햄버거 6명
🍕 피자 5명
🍗 치킨 7명
🍦 아이스크림 3명

👨‍🏫 조사한 자료를 표로 나타내어 보세요.

좋아하는 간식별 학생 수

간식	햄버거	피자	치킨	아이스크림	합계
학생 수(명)	6	5	7	3	21

❖ 햄버거 6명, 피자 5명, 치킨 7명, 아이스크림 3명
 (합계)=6+5+7+3=21(명)

👨‍🏫 조사한 자료를 그래프로 나타내어 보세요.

좋아하는 간식별 학생 수

7			○	
6	○		○	
5	○	○	○	
4	○	○	○	
3	○	○	○	○
2	○	○	○	○
1	○	○	○	○
학생 수(명) / 간식	햄버거	피자	치킨	아이스크림

👨‍🏫 선생님께서 사 주실 간식은 무엇일까요?

(**치킨**)

❖ 치킨이 7명으로 가장 많습니다.

---

1 단계 교과서 개념 잡기

개념 1 표 알아보기

좋아하는 색깔
빨간색 / 노란색 / 파란색 / 초록색
● 여학생 ▲ 남학생

• 표를 보고 알 수 있는 내용

좋아하는 색깔별 학생 수

색깔	빨간색	노란색	파란색	초록색	합계
학생 수(명)	16	11	10	13	50

① 가장 많은 학생이 좋아하는 색깔은 빨간색입니다.
② 초록색을 좋아하는 학생은 13명입니다.
③ 빨간색을 좋아하는 학생은 파란색을 좋아하는 학생보다 6명 더 많습니다.
 ↑16명 ↑10명 ↑16-10=6(명)

• 표를 다른 방법으로 나타내기
 여학생과 남학생의 수로 나누어 나타내요

좋아하는 색깔별 학생 수

색깔	빨간색	노란색	파란색	초록색	합계
여학생 수(명)	7	5	7	8	27
남학생 수(명)	9	6	3	5	23

① 가장 많은 여학생이 좋아하는 색깔은 초록색입니다.
② 가장 많은 남학생이 좋아하는 색깔은 빨간색입니다.
③ 노란색을 좋아하는 학생은 남학생이 여학생보다 1명 더 많습니다.
 ↑6-5=1(명)

참고 표의 특징
① 각 항목별 수를 알기 쉽습니다.
② 조사한 수의 합계를 알기 쉽습니다.

개념 확인 문제

정답과 풀이 p.13

[1-1~1-4] 영지네 반 학생들이 좋아하는 간식을 조사하여 표로 나타내었습니다. 물음에 답하세요.

좋아하는 간식별 학생 수

간식	피자	핫도그	치킨	떡볶이	합계
학생 수(명)	4	6	9	7	26

1-1 치킨을 좋아하는 학생은 몇 명일까요?

(**9명**)

❖ (치킨을 좋아하는 학생 수)=26-4-6-7=9(명)

1-2 가장 많은 학생이 좋아하는 간식은 무엇일까요?

(**치킨**)

❖ 9>7>6>4이므로 가장 많은 학생이 좋아하는 간식은 치킨입니다.
 ↑치킨

1-3 치킨을 좋아하는 학생은 핫도그를 좋아하는 학생보다 몇 명 더 많은지 구해 보세요.

(**3명**)

❖ 치킨을 좋아하는 학생: 9명, 핫도그를 좋아하는 학생: 6명
 ➔ 9-6=3(명)이므로 치킨을 좋아하는 학생이 3명 더 많습니다.

1-4 많은 학생들이 좋아하는 간식부터 순서대로 써 보세요.

(**치킨, 떡볶이, 핫도그, 피자**)

❖ 9>7>6>4이므로 치킨, 떡볶이, 핫도그, 피자 순서로 좋아합니다.

1 단계 교과서 개념 잡기

정답과 풀이 p.14

개념 2 자료를 수집하여 표로 나타내기

① 어떤 자료를 수집할지 정하기
② 자료를 수집할 대상 정하기
③ 자료의 수집 방법 정하기
④ 조사한 결과를 표로 나타내기
▣ 학생들의 혈액형을 조사하여 표로 나타내기

자료를 수집하는 방법에는 직접 손을 들거나 붙임딱지 붙이기 등이 있습니다.

혈액형

| A형 | B형 | O형 | AB형 |

학생들의 혈액형을 알아볼까요?
↓
자료를 수집할 대상은 수지네 반 학생들입니다.
↓
자료를 수집한 방법은 붙임딱지 붙이기입니다.
↓
조사한 결과를 표로 나타내어 봅니다.

혈액형별 학생 수

혈액형	A형	B형	O형	AB형	합계
학생 수(명)	7	4	8	5	24

• 표로 나타낼 때 유의할 점
① 조사 내용에 알맞은 제목을 정합니다.
② 조사 항목의 수에 맞게 칸을 나눕니다.
③ 조사 내용에 알맞게 빈칸을 채웁니다.
④ 합계가 맞는지 확인합니다.
  7+4+8+5=24(명)

56 · Run - C 3-2

개념 확인 문제

[2-1~2-4] 수호네 반 학생들이 좋아하는 운동을 조사한 것입니다. 물음에 답하세요.

학생들이 좋아하는 운동

| ⚽ 축구 | 🏐 야구 | 🏐 피구 | 🏀 농구 |

2-1 알맞은 말에 ○표 하세요.

수호네 반 학생들이 좋아하는 운동을 수집한 방법은
(직접 손 들기 , 붙임(딱지 붙이)기)입니다.

2-2 자료를 수집할 대상은 누구일까요?

((예) 수호네 반 학생)

2-3 조사한 자료를 보고 표를 나타내어 보세요.

좋아하는 운동별 학생 수

운동	축구	야구	피구	농구	합계
학생 수(명)	7	5	6	9	27

❖ 합계: 7+5+6+9=27(명)

2-4 가장 많은 학생이 좋아하는 운동을 써 보세요.

(농구)

❖ 9>7>6>5이므로 가장 많은 학생이 좋아하는 운동은 농구입니다.
   ↑
   농구

6. 자료의 정리 · 57

1 단계 교과서 개념 잡기

정답과 풀이 p.14

개념 3 그림그래프 알아보기

알려고 하는 수(조사한 수)를 그림으로 나타낸 그래프를 그림그래프라고 합니다.

모둠별 캔 감자의 양 ← 그림그래프의 제목

모둠	캔 감자의 양
㉮ 모둠	
㉯ 모둠	
㉰ 모둠	
㉱ 모둠	

🥔 10 kg   🥔 1 kg

• 🥔는 10 kg, 🥔는 1 kg을 나타내는 그림입니다.
• ㉮ 모둠은 🥔이 3개, 🥔이 4개이므로
  34 kg입니다.
• ㉯ 모둠은 🥔이 2개, 🥔이 5개이므로
  25 kg입니다.
• ㉰ 모둠은 🥔이 3개, 🥔이 2개이므로
  32 kg입니다.
• ㉱ 모둠은 🥔이 4개, 🥔이 1개이므로
  41 kg입니다.
• 41>34>32>25이므로
  가장 많은 양의 감자를 캔 모둠은 ㉱ 모둠입니다.
• 25<32<34<41이므로
  가장 적은 양의 감자를 캔 모둠은 ㉯ 모둠입니다.
• ㉮ 모둠은 ㉰ 모둠보다 2 kg 더 많이 캤습니다.
  34-32=2(kg)

→ 그림그래프는 모둠별 캔 감자의 양을 한눈에 비교하기 편리합니다.

그림그래프는 그림 크기에 따라 나타내는 수량이 달라요.

58 · Run - C 3-2

개념 확인 문제

[3-1~3-4] 민지네 마을의 과수원별 사과 수확량을 그림그래프로 나타내었습니다. 물음에 답하세요.

과수원별 사과 수확량

과수원	사과 수확량
희망	
기적	
사랑	
나눔	

🍎100상자
🍎10상자

3-1 🍎와 🍎는 각각 몇 상자를 나타내는지 써 보세요.

🍎 (100상자)
🍎 (10상자)

3-2 기적 마을의 사과 수확량은 몇 상자일까요?

(360상자)

❖ 🍎이 3개, 🍎이 6개이므로 360상자입니다.

3-3 사과를 가장 많이 수확한 과수원은 어느 과수원이고, 몇 상자 수확했는지 차례로 써 보세요.

(나눔 과수원), (530상자)

❖ 🍎이 가장 많은 나눔 과수원이 가장 많이 수확하였습니다.
   🍎이 5개, 🍎이 3개이므로 530상자입니다.

3-4 사랑 과수원은 희망 과수원보다 사과 수확량이 몇 상자 더 많은지 구해 보세요.

(120상자)

❖ 사랑 과수원: 🍎 4개, 🍎 4개이므로 440상자입니다.
   희망 과수원: 🍎 3개, 🍎 2개이므로 320상자입니다.
→ 440-320=120(상자) 더 많습니다.

6. 자료의 정리 · 59

① 교과서 개념 잡기

정답과 풀이 p.15

개념 ④ 그림그래프로 나타내기

아파트 동별 심은 나무 수

동	101동	102동	103동	104동	합계
나무 수(그루)	36	24	47	33	140

① 그림을 몇 가지로 나타낼 것인지 정합니다.
→ 예 2가지 (◎: 10그루, ○: 1그루)

표는 자료의 수와 합계를 쉽게 알 수 있습니다.

② 조사한 수에 맞게 그림을 그립니다.
③ 알맞은 제목을 붙입니다.

아파트 동별 심은 나무 수

동	나무 수
101동	◎ ◎ ◎ ○ ○ ○ ○ ○ ○
102동	◎ ◎ ○ ○ ○ ○
103동	◎ ◎ ◎ ◎ ○ ○ ○ ○ ○ ○ ○
104동	◎ ◎ ◎ ○ ○ ○

◎ 10그루   ○ 1그루

→ 그림그래프는 각각의 자료의 수와 크기를 한눈에 비교할 수 있습니다.

심화 3가지 그림으로 나타내기

아파트 동별 심은 나무 수

동	나무 수
101동	◎ ◎ ◎ ○
102동	◎ ◎ ○ ○
103동	◎ ◎ ◎ ◎ ○ ○ ○
104동	◎ ◎ ◎ ○ ○ ○

◎ 10그루   ○ 5그루   ○ 1그루

개념 확인 문제

[4-1~4-4] 영호네 학교 3학년 반별 학급문고에 있는 책 수를 조사하여 표로 나타내었습니다. 물음에 답하세요.

반별 학급문고에 있는 책 수

반	1반	2반	3반	4반	합계
책 수(권)	23	31	24	33	111

4-1 표를 보고 그림그래프로 나타내려고 합니다. 그림을 몇 가지로 나타내는 것이 좋은지 ○표 하세요.

(1가지   2가지)

❖ 책 수가 두 자리 수이므로 그림은 십의 자리와 일의 자리를 각각 나타낼 수 있는 2가지가 좋습니다.

4-2 표를 보고 그림그래프를 완성해 보세요.

반별 학급문고에 있는 책 수

반	책 수
1반	◎ ◎ ○ ○ ○
2반	◎ ◎ ◎ ○
3반	◎ ◎ ○ ○ ○ ○
4반	◎ ◎ ◎ ○ ○ ○

◎ 10권   ○ 1권

❖ 십의 자리와 일의 자리 수를 보고 그림을 알맞게 그립니다.

4-3 책 수가 가장 많은 반은 어느 반인지 써 보세요.

(**4반**)

❖ 33>31>24>23이므로 책 수가 가장 많은 반은 4반입니다.
  4반 2반 3반 1반

4-4 학급문고에 있는 책 수의 합계를 알아보는 데는 표와 그림그래프 중 어느 것이 더 편리한지 써 보세요.

(**표**)

❖ 자료의 합계를 쉽게 알 수 있는 것은 표입니다.

PLAY 교과서 개념 스토리   **좋아하는 꽃 알아보기**

준비물 붙임딱지

친구들이 좋아하는 꽃을 붙임딱지 붙이기 방법으로 조사해 보세요.
자료를 보고 표로 나타내어 보고, 알게 된 점을 써 보세요.

좋아하는 꽃

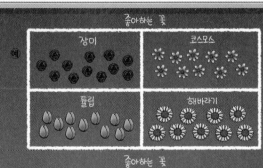

꽃	장미	코스모스	튤립	해바라기	합계
예 학생 수(명)	12	10	11	9	42

알게된점 예 · 조사한 학생 수는 42명입니다.
· 가장 많은 학생이 좋아하는 꽃은 장미입니다.
· 코스모스를 좋아하는 학생은 해바라기를 좋아하는 학생보다 1명 더 많습니다.

좋아하는 꽃

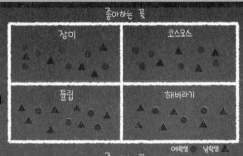

여학생 ●   남학생 ▲

꽃	장미	코스모스	튤립	해바라기	합계
예 여학생 수(명)	7	6	4	3	20
남학생 수(명)	5	4	7	6	22

예 · 가장 많은 여학생이 좋아하는 꽃은 장미입니다.
· 해바라기를 좋아하는 학생은 여학생이 남학생보다 3명 더 적습니다.
· 남학생은 여학생보다 2명 더 많습니다.

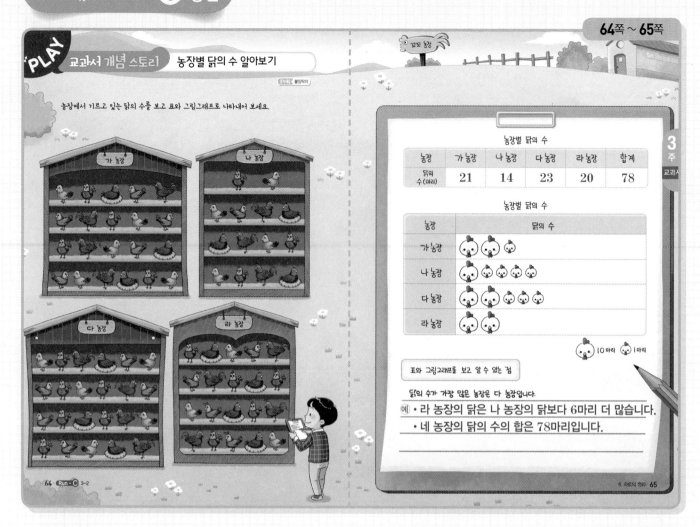

PLAY 교과서 개념 스토리 농장별 닭의 수 알아보기

농장에서 기르고 있는 닭의 수를 보고 표와 그림그래프로 나타내어 보세요.

농장별 닭의 수

농장	가 농장	나 농장	다 농장	라 농장	합계
닭의 수(마리)	21	14	23	20	78

농장별 닭의 수

농장	닭의 수
가 농장	
나 농장	
다 농장	
라 농장	

🐔 10마리 🐤 1마리

표와 그림그래프를 보고 알 수 있는 점

닭의 수가 가장 많은 농장은 다 농장입니다.

예 • 라 농장의 닭은 나 농장의 닭보다 6마리 더 많습니다.
• 네 농장의 닭의 수의 합은 78마리입니다.

②단계 교과서 개념 다지기

정답과 풀이 p.16

개념1 표를 보고 내용 알아보기(1)

01 가은이네 반 학생들이 좋아하는 동물을 조사하여 표로 나타내었습니다. 물음에 답하세요.

좋아하는 동물별 학생 수

동물	강아지	고양이	사자	토끼	합계
학생 수(명)	11	8	9	5	33

(1) 가장 많은 학생이 좋아하는 동물은 무엇일까요?
(**강아지**)

❖ $\underset{\text{강아지}}{\underline{11}} > 9 > 8 > 5$이므로 가장 많은 학생이 좋아하는 동물은 강아지입니다.

(2) 고양이를 좋아하는 학생은 토끼를 좋아하는 학생보다 몇 명 더 많을까요?
(**3명**)

❖ 고양이를 좋아하는 학생은 8명이고 토끼를 좋아하는 학생은 5명이므로 $8 - 5 = 3$(명) 더 많습니다.

02 민수네 반 학생들이 좋아하는 채소를 조사하여 표로 나타내었습니다. 물음에 답하세요.

좋아하는 채소별 학생 수

종류	당근	양배추	양파	오이	합계
학생 수(명)	7	3	9	4	23

(1) 가장 적은 학생이 좋아하는 채소는 무엇일까요?
(**양배추**)

❖ $\underset{\text{양배추}}{\underline{3}} < 4 < 7 < 9$이므로 가장 적은 학생이 좋아하는 채소는 양배추입니다.

(2) 양파를 좋아하는 학생은 양배추를 좋아하는 학생의 몇 배일까요?
(**3배**)

❖ 양배추를 좋아하는 학생은 3명, 양파를 좋아하는 학생은 9명이므로 $9 \div 3 = 3$(배)입니다.

개념2 표를 보고 내용 알아보기(2)

03 현지네 반 학생들이 좋아하는 음료수를 조사하여 표로 나타내었습니다. 물음에 답하세요.

좋아하는 음료수별 학생 수

음료수	사이다	콜라	식혜	주스	합계
남학생 수(명)	1	5	2	3	11
여학생 수(명)	1	2	4	6	13

(1) 가장 많은 여학생이 좋아하는 음료수는 무엇일까요?
(**주스**)

❖ (주스를 좋아하는 여학생 수) $= 13 - 1 - 2 - 4 = 6$(명)

➡ $6 > 4 > 2 > 1$이므로 가장 많은 여학생이 좋아하는 음료수는 주스입니다.

(2) 남학생은 여학생보다 몇 명 더 적을까요?
(**2명**)

❖ (남학생 수의 합) $= 1 + 5 + 2 + 3 = 11$(명)
따라서 남학생은 여학생보다 $13 - 11 = 2$(명) 더 적습니다.

04 경수네 반 학생들이 체험 학습으로 가고 싶어 하는 장소를 조사하여 표로 나타내었습니다. 물음에 답하세요.

체험 학습으로 가고 싶어 하는 장소

장소	박물관	놀이공원	동물원	민속 마을	합계
여학생 수(명)	4	6	3	3	
남학생 수(명)	3	5	4	2	14

(1) 경수네 반 학생 중 여학생은 몇 명일까요?
(**16명**)

❖ $4 + 6 + 3 + 3 = 16$(명)

(2) 경수네 반 학생 중 동물원에 가고 싶어 하는 학생은 몇 명일까요?
(**7명**)

❖ 동물원에 가고 싶어 하는 여학생 수와 남학생 수를 더합니다.
➡ $3 + 4 = 7$(명)

개념 3 자료를 수집하여 표로 나타내기(1)

05 혜미네 반에 있는 학용품을 모은 것입니다. 조사한 자료를 보고 표로 나타내어 보세요.

종류별 학용품 수

종류	연필	지우개	가위	자	합계
학용품 수(개)	8	6	4	5	23

❖ 자료를 보고 학용품의 수를 종류별로 세어 표를 완성합니다.
(합계)=8+6+4+5=23(개)

06 영미네 반 학생들이 태어난 계절을 조사한 자료를 보고 표로 나타내어 보세요.

학생들이 태어난 계절

계절	봄	여름	가을	겨울	합계
학생 수(명)	7	9	5	8	29

❖ 자료를 보고 계절별로 학생 수를 세어 표를 완성합니다.
(합계)=7+9+5+8=29(명)

개념 4 자료를 수집하여 표로 나타내기(2)

07 현수네 반 학생들이 좋아하는 운동을 조사하였습니다. 자료를 보고 표로 나타내어 보세요.

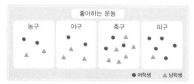

좋아하는 운동별 학생 수

운동	농구	야구	축구	피구	합계
여학생 수(명)	2	2	3	5	12
남학생 수(명)	2	3	6	1	12

❖ 운동별로 여학생 수와 남학생 수를 각각 세어 봅니다.

08 희수네 반 학생들이 좋아하는 빵을 조사하였습니다. 자료를 보고 표로 나타내어 보세요.

좋아하는 빵 종류별 학생 수

종류	단팥빵	야채빵	치즈빵	크림빵	합계
여학생 수(명)	3	4	2	3	12
남학생 수(명)	5	2	4	3	14

❖ 빵 종류별로 여학생 수와 남학생 수를 각각 세어 봅니다.

❖ 미국: 45명이므로 ◎ 4개, ○ 5개로 나타냅니다.
프랑스: 23명이므로 ◎ 2개, ○ 3개로 나타냅니다.
태국: 35명이므로 ◎ 3개, ○ 5개로 나타냅니다.

개념 5 그림그래프 알아보기

09 승기네 학교 학생들이 월별로 읽은 동화책을 조사하여 그림그래프로 나타내었습니다. 6월에는 동화책을 몇 권 읽었을까요?

월별 읽은 동화책 수

월	동화책 수
5월	
6월	
7월	
8월	

■100권
■10권

(**270권**)

❖ 6월은 큰 그림이 2개, 작은 그림이 7개이므로 270권입니다.

10 어느 가게의 월별 도넛 판매량을 조사하여 그림그래프로 나타내었습니다. 물음에 답하세요.

월별 도넛 판매량

월	도넛 판매량
9월	
10월	
11월	
12월	

◉100개
◦10개

(1) 10월과 11월 도넛 판매량은 각각 몇 개일까요?
10월 (**420개**), 11월 (**310개**)
❖ 10월: ◉ 4개, ◦ 2개이므로 420개입니다.
11월: ◉ 3개, ◦ 1개이므로 310개입니다.

(2) 도넛을 가장 많이 판매한 달은 몇 월일까요?
(**12월**)
❖ 큰 그림이 가장 많은 12월에 도넛을 가장 많이 판매하였습니다.

개념 6 그림그래프로 나타내기

11 가은이네 학교 3학년 학생들이 가고 싶은 나라를 조사하여 표로 나타내었습니다. 표를 보고 그림그래프를 완성해 보세요.

가고 싶은 나라별 학생 수

나라	미국	중국	프랑스	태국	합계
학생 수(명)	45	37	23	35	140

가고 싶은 나라별 학생 수

나라	학생 수
미국	◎◎◎◎○○○○○
중국	◎◎◎○○○○○○○
프랑스	◎◎○○○
태국	◎◎◎○○○○○

◎10명
○1명

12 어느 식당에서 하루 동안 음식 판매량을 조사하여 표로 나타내었습니다. 표를 보고 그림그래프를 완성해 보세요.

음식 종류별 판매량

음식	갈비탕	비빔밥	김치찌개	된장찌개	합계
그릇 수(그릇)	52	34	45	38	169

음식 종류별 판매량

음식	그릇 수
갈비탕	◎◎◎◎◎○○
비빔밥	◎◎◎○○○○
김치찌개	◎◎◎◎○
된장찌개	◎◎◎○○○○○

◎10그릇
○5그릇
○1그릇

❖ 갈비탕: 52그릇이므로 ◎ 5개, ○ 2개로 나타냅니다.
비빔밥: 34그릇이므로 ◎ 3개, ○ 4개로 나타냅니다.
김치찌개: 45그릇이므로 ◎ 4개, ○ 1개로 나타냅니다.

3단계 교과서 실력 다지기

정답과 풀이 p.18

★ 표를 보고 내용 알아보기

1 민규네 반 학생들이 좋아하는 TV 프로그램을 조사하여 표로 나타내었습니다. 물음에 답하세요.

좋아하는 TV 프로그램

TV 프로그램	예능	드라마	만화	영화	합계
학생 수(명)	10	8	8	6	28

(1) 가장 많은 학생이 좋아하는 TV 프로그램은 무엇일까요?

답 **예능**

❖ 10>8>6>4이므로 예능을 좋아하는 학생이 가장 많습니다.
↑ 예능

(2) 예능을 좋아하는 학생은 만화를 좋아하는 학생보다 몇 명 더 많을까요?

답 **2명**

❖ 예능: 10명, 만화: 8명 ➡ 10-8=2(명)

개념피드백
좋아하는 계절

계절	봄	여름	가을	겨울	합계
학생 수(명)	6	7	10	5	28

• 가장 많은 학생이 좋아하는 계절은 가을입니다.
• 여름을 좋아하는 학생은 봄을 좋아하는 학생보다 7-6=1(명) 더 많습니다.

1-1 준영이네 반 학생들이 태어난 계절을 조사하여 표로 나타내었습니다. 물음에 답하세요.

태어난 계절별 학생 수

계절	봄	여름	가을	겨울	합계
학생 수(명)	9	2	6	8	25

(1) 태어난 학생이 가장 적은 계절을 써 보세요.

(**여름**)

❖ 2<6<8<9이므로 가장 적은 학생이 태어난 계절은 여름입니다.

(2) 태어난 학생이 많은 계절부터 순서대로 써 보세요.

(**봄, 겨울, 가을, 여름**)

❖ 9>8>6>2이므로 태어난 학생이 많은 계절부터 순서대로 쓰면 봄, 겨울, 가을, 여름입니다.

72 · Run - C 3-2

★ 표에서 모르는 자료의 수 구하기

2 어느 과일 가게에 있는 과일 수를 조사하여 표로 나타내었습니다. 귤은 몇 개 있는지 구해 보세요.

종류별 과일 수

과일	사과	감	귤	포도	합계
과일 수(개)	37	25	32	29	123

답 **32개**

개념피드백 표에서 모르는 자료의 수는 합계에서 각 자료의 수를 빼서 구할 수 있습니다.

❖ (귤의 수)=123-37-25-29=32(개)

2-1 어느 채소 가게에 있는 채소 수를 조사하여 표로 나타내었습니다. 양파는 몇 개 있는지 구해 보세요.

종류별 채소 수

채소	오이	양파	가지	고추	합계
채소 수(개)	43	28	30	49	150

(**28개**)

❖ (양파 수)=150-43-30-49=28(개)

2-2 정훈이네 학교 학생들이 좋아하는 과목을 여학생과 남학생으로 나누어 조사한 후 표로 나타내었습니다. 표를 완성해 보세요.

좋아하는 과목

과목	수학	국어	미술	체육	합계
여학생 수(명)	38	12	33	27	110
남학생 수(명)	22	24	43	19	108

❖ (미술을 좋아하는 여학생 수)=110-38-12-27=33(명)
(국어를 좋아하는 남학생 수)=108-22-43-19=24(명)

6. 자료의 정리 · 73

3단계 교과서 실력 다지기

정답과 풀이 p.18

★ 그림그래프를 보고 합계 구하기

3 민지네 아파트의 동별 자전거 수를 조사하여 그림그래프로 나타내었습니다. 민지네 아파트에 있는 자전거는 모두 몇 대인지 구해 보세요.

동별 자전거 수

동	자전거 수
101동	
102동	
103동	
104동	

🚲10대 🚲1대

답 **112대**

개념리드벡
① 큰 그림과 작은 그림이 나타내는 수 알아보기
② 각 동별로 큰 그림과 작은 그림의 수 구하기
③ 각 동별로 자전거의 수 구하기
④ ③에서 구한 자전거 수의 합 구하기

❖ 101동: 24대, 102동: 32대,
103동: 40대, 104동: 16대

➡ 24+32+40+16=112(대)

3-1 마트에서 하루 동안 팔린 라면의 수를 그림그래프로 나타내었습니다. 마트에서 하루 동안 팔린 라면은 모두 몇 개인지 구해 보세요.

종류별 라면 판매량

종류	라면 판매량
A 라면	
B 라면	
C 라면	
D 라면	

🔲100개 🔲10개

(**1030개**)

❖ A 라면: 180개, B 라면: 330개, C 라면: 250개, D 라면: 270개

➡ 180+330+250+270=1030(개)

74 · Run - C 3-2

★ 표를 완성하여 그림그래프로 나타내기

4 과수원별 사과 생산량을 나타낸 표와 그림그래프입니다. 표와 그림그래프를 완성해 보세요.

과수원별 사과 생산량

과수원	가	나	다	합계
생산량(상자)	420	350	400	1170

과수원별 사과 생산량

과수원	사과 생산량
가	
나	
다	

⚫100상자 ⚫10상자

개념리드벡 표에서 빠진 자료 수를 구한 다음 큰 그림과 작은 그림을 알맞게 그려 그림그래프를 완성합니다.

❖ 그림그래프에서 보면 가 과수원의 사과 생산량은 420상자입니다.

4-1 국립 공원에 있는 종류별 나무 수를 나타낸 표와 그림그래프입니다. 표와 그림그래프를 완성해 보세요.

종류별 나무의 수

종류	소나무	은행나무	단풍나무	전나무	합계
나무 수(그루)	240	330	170	190	930

종류별 나무의 수

종류	나무 수
소나무	
은행나무	
단풍나무	
전나무	

🌳100그루 🌲50그루 🌴10그루

❖ 그림그래프에서 보면 은행나무는 330그루입니다.
(전나무 수)=930-240-330-170=190(그루)

6. 자료의 정리 · 75

3 단계 교과서 **실력 다지기**

정답과 풀이 p.19

★ 조건에 알맞게 표 완성하기

5 학생들이 좋아하는 색깔을 조사하여 표로 나타내었습니다. 노란색과 파란색을 좋아하는 학생 수가 같을 때 표를 완성해 보세요.

좋아하는 색깔별 학생 수

색깔	빨간색	노란색	파란색	초록색	합계
학생 수(명)	11	**9**	**9**	8	37

개념 키드북
① 노란색과 파란색을 좋아하는 학생 수의 합을 구합니다.
② ÷2를 구합니다.

❖ 노란색과 파란색을 좋아하는 학생 수는 37 − 11 − 8 = 18(명)입니다.
노란색과 파란색을 좋아하는 학생 수가 같으므로 각각
18 ÷ 2 = 9(명)씩입니다.

5-1 마을별 병원 수를 조사하여 표로 나타내었습니다. 사랑 마을과 소망 마을의 병원 수가 같을 때 표를 완성해 보세요.

마을별 병원 수

마을	사랑	믿음	소망	나눔	합계
병원 수(개)	**12**	26	**12**	17	67

❖ 사랑 마을과 소망 마을의 병원 수의 합은 67 − 26 − 17 = 24(개)입니다.
사랑 마을과 소망 마을의 병원 수가 같으므로 각각
24 ÷ 2 = 12(개)씩입니다.

5-2 현서네 반 학생들이 좋아하는 간식을 조사하여 표로 나타내었습니다. 떡볶이를 좋아하는 학생은 햄버거를 좋아하는 학생의 2배일 때 표를 완성해 보세요.

좋아하는 간식

간식	떡볶이	피자	햄버거	치킨	합계
학생 수(명)	**8**	3	4	7	**22**

❖ (떡볶이를 좋아하는 학생 수) = 4 × 2 = 8(명)
(합계) = 8 + 3 + 4 + 7 = 22(명)

★ 그림그래프를 보고 예상하기

6 명철이네 학교 3학년 학생들이 좋아하는 우유를 조사하여 그림그래프로 나타내었습니다. 학생들을 위해 우유를 한 가지만 준비한다면 어떤 맛 우유를 준비하면 좋을지 쓰고 그 이유를 써 보세요.

학생들이 좋아하는 우유

종류	학생 수
딸기 맛	☺☺ ☺☺☺
바나나 맛	☺☺☺☺☺
초콜릿 맛	☺ ☺☺☺☺☺☺

☺ 10명
☺ 1명

답 **바나나 맛**

이유 **예** 가장 많은 학생이 좋아하는 우유가 바나나 맛이므로 바나나 맛 우유를 준비하는 것이 좋을 것 같습니다.

개념 키드북
가장 많은 학생이 좋아하는 우유를 준비하는 것이 좋습니다.

6-1 마트에서 일주일 동안 팔린 생선 수를 조사하여 그림그래프로 나타내었습니다. 다음 주에 어떤 생선을 더 많이 준비하면 좋을지 쓰고 그 이유를 써 보세요.

일주일 동안 팔린 생선 수

종류	팔린 생선 수
고등어	🐟🐟🐟 🐟🐟
갈치	🐟🐟🐟
꽁치	🐟🐟🐟🐟🐟
가자미	🐟🐟🐟 🐟

🐟 10마리
🐟 1마리

(**고등어**)

이유 **예** 일주일 동안 가장 많이 팔린 생선이 고등어이므로 다음 주에 고등어를 더 많이 준비하는 것이 좋을 것 같습니다.

Test 교과서 **서술형 연습**

정답과 풀이 p.19

1 어느 빵 가게에서 하루 동안 판매된 빵의 수를 그림그래프로 나타내었습니다. 가장 많이 팔린 빵을 써 보세요.

하루 동안 팔린 빵별 판매량

종류	판매량
단팥빵	🍞🍞🍞 🍞🍞🍞🍞
피자빵	🍞🍞🍞 🍞🍞🍞
크림빵	🍞🍞 🍞🍞

🍞 10개
🍞 1개

해결하기 많이 팔린 빵부터 팔린 빵 수를 써 보면 **33** > **25** > **24** 입니다.
따라서 가장 많이 팔린 빵은 **피자빵** 입니다.

답 구하기 **피자빵**

2 과수원별 배 생산량을 조사하여 그림그래프로 나타내었습니다. 배 생산량이 가장 적은 과수원을 구해 보세요.

과수원별 배 생산량

과수원	배 생산량
가	🟡🟡🟡 ⚪⚪⚪
나	🟡🟡🟡🟡 ⚪⚪
다	🟡🟡🟡 ⚪⚪⚪⚪⚪

🟡 100상자
⚪ 10상자

해결하기 **예** 가 과수원: 330상자, 나 과수원: 420상자, 다 과수원: 350상자이므로 배 생산량이 가장 적은 과수원은 가 과수원입니다.

답 구하기 **가 과수원**

3 현수네 학교 3학년 학생들의 혈액형별 학생 수를 조사하여 표로 나타내었습니다. 학생 수가 가장 많은 혈액형은 무엇인지 구해 보세요.

혈액형별 학생 수

혈액형	A형	B형	O형	AB형	합계
여학생 수(명)	19	25	13	17	74
남학생 수(명)	18	10	20	13	61

해결하기 혈액형별 학생 수를 구해 보면 A형: **37**명, B형: **35**명.
O형: **33**명, AB형: **30**명입니다.

13+20   25+10   19+18   17+13

따라서 학생 수가 가장 많은 혈액형은 **A형**입니다.

답 구하기 **A형**

4 승호네 학교 3학년 학생들이 좋아하는 간식을 조사하여 표로 나타내었습니다. 가장 많은 학생이 좋아하는 간식은 무엇인지 구해 보세요.

좋아하는 간식별 학생 수

간식	피자	치킨	떡볶이	샌드위치	합계
여학생 수(명)	18	12	15	13	58
남학생 수(명)	14	21	19	9	63

해결하기 **예** 좋아하는 간식별 학생 수를 구해 보면
피자: 18 + 14 = 32(명), 치킨: 12 + 21 = 33(명),
떡볶이: 15 + 19 = 34(명), 샌드위치: 13 + 9 = 22(명)입니다.
따라서 가장 많은 학생이 좋아하는 [답 구하기] **떡볶이**
간식은 떡볶이입니다.

PLAY 사고력 개념 스토리 농작물 수확량 알아보기

마을별 감자와 고구마 수확량을 조사하여 표로 나타내었습니다.
표를 보고 그림그래프로 나타내어 보세요.

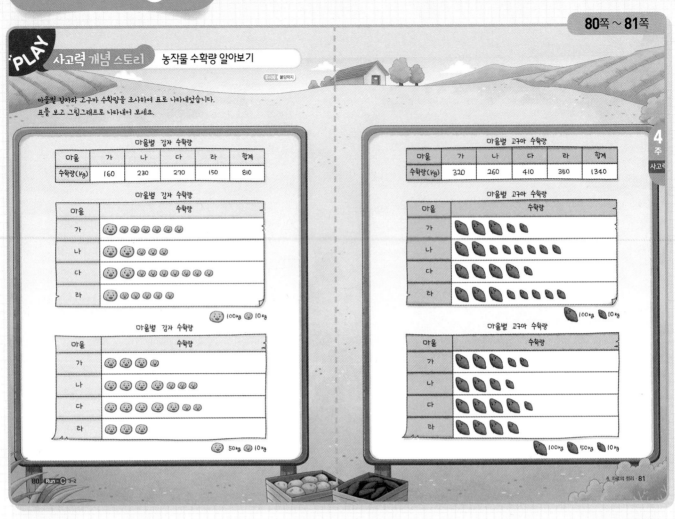

마을별 감자 수확량

마을	가	나	다	라	합계
수확량(kg)	160	230	270	150	810

마을별 고구마 수확량

마을	가	나	다	라	합계
수확량(kg)	320	260	410	350	1340

PLAY 사고력 개념 스토리 용돈과 칭찬 점수 알아보기

민아는 부모님을 도와 집안일을 하면 용돈을 받습니다. 민아가 4월에 한 일을 보고 한 달 동안 받은 용돈을 표와 그림그래프로 나타내어 보세요.

주민이는 부모님과의 약속을 지키면 칭찬 점수를 받습니다. 주민이가 지킨 약속을 보고 일주일 동안 받은 칭찬 점수를 표와 그림그래프로 나타내어 보세요.

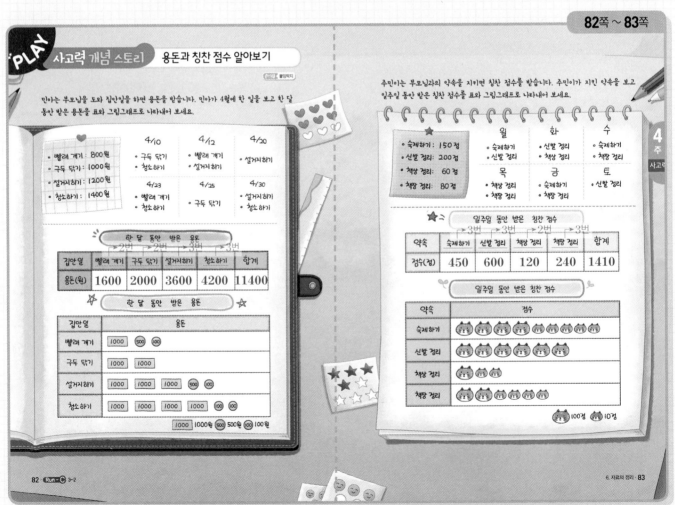

한 달 동안 받은 용돈

김안일	빨래 개기	구두 닦기	설거지하기	청소하기	합계
용돈(원)	1600	2000	3600	4200	11400

일주일 동안 받은 칭찬 점수

약속	숙제하기	신발 정리	책상 정리	책장 정리	합계
점수(점)	450	600	120	240	1410

① 단계 교과 사고력 잡기

정답과 풀이 p.21

1 준호네 반과 혜영이네 반 학생들이 좋아하는 중국 음식을 조사하여 표로 나타내었습니다. 준호네 반과 혜영이네 반에서 가장 많은 학생이 좋아하는 중국 음식은 무엇인지 구해 보세요.

자장면　탕수육　볶음밥　군만두

좋아하는 중국 음식별 학생 수

음식	자장면	탕수육	볶음밥	군만두	합계
준호네 반(명)	6	8	4	5	23
혜영이네 반(명)	9	5	6	7	27

❶ 준호네 반에서 볶음밥을 좋아하는 학생은 몇 명일까요?

(**4명**)

✢ (준호네 반에서 볶음밥을 좋아하는 학생 수)
＝23−6−8−5＝4(명)

❷ 혜영이네 반에서 탕수육을 좋아하는 학생은 몇 명일까요?

(**5명**)

✢ (혜영이네 반에서 탕수육을 좋아하는 학생 수)
＝27−9−6−7＝5(명)

❸ 준호네 반과 혜영이네 반에서 가장 많은 학생이 좋아하는 중국 음식은 무엇일까요?

(**자장면**)

✢ 자장면: 6＋9＝15(명), 탕수육: 8＋5＝13(명),
볶음밥: 4＋6＝10(명), 군만두: 5＋7＝12(명)이므로
가장 많은 학생이 좋아하는 중국 음식은 자장면입니다.

84 · Run-C 3-2

2 진주는 여러 가지 모양의 색깔 블록을 가지고 있습니다. 파란색 삼각형 모양의 블록은 모두 몇 개인지 구해 보세요.

어떤 색깔을 몇 개씩 가지고 있는지 세어 볼까?

❶ 그림을 보고 표를 완성해 보세요.

색깔별 블록 수

색깔	분홍색	파란색	초록색	보라색	합계
블록 수(개)	4	5	3	2	14

❷ 파란색 블록의 모양별 수를 나타낸 표를 완성해 보세요.

파란색 블록의 모양별 블록 수

모양	사각형	삼각형	원	합계
블록 수(개)	1	3	1	5

✢ 파란색 블록은 모두 5개입니다.

❸ 파란색 삼각형 모양의 블록은 모두 몇 개인지 구해 보세요.

(**3개**)

✢ 파란색 블록 중 삼각형 모양은 3개입니다.

6. 자료의 정리 · 85

---

① 단계 교과 사고력 잡기

정답과 풀이 p.21

3 어느 서점에서 한 달 동안 팔린 책의 종류별 판매량을 조사하여 표와 그림그래프로 나타내었습니다. 표와 그림그래프를 완성하고 과학책은 위인전보다 몇 권 더 팔렸는지 구해 보세요.

종류별 책 판매량

종류	위인전	과학책	역사책	문제집	합계
판매량(권)	120	150	210	80	560

종류별 책 판매량

위인전　　　　　　　역사책

과학책　　　　　　　문제집

☐ **50** 권　☐ **10** 권

❶ ☐과 ☐가 나타내는 수를 각각 써 보세요.

✢ 위인전 120권을 큰 그림 2개와　　☐(**50권**)
작은 그림 2개로 나타내었으므로　☐(**10권**)
큰 그림은 50권, 작은 그림은 10권을 나타냅니다.

❷ 표와 그림그래프를 완성해 보세요.

✢ (과학책 수)＝560−120−210−80＝150(권)

❸ 과학책은 위인전보다 몇 권 더 팔렸는지 구해 보세요.

(**30권**)

✢ 과학책: 150권, 위인전: 120권이므로 150−120＝30(권)
더 팔렸습니다.

86 · Run-C 3-2

4 승주, 민아, 효민이가 농장에서 캔 고구마의 무게를 그림그래프로 나타내었습니다. 세 사람이 캔 고구마의 무게가 모두 65 kg일 때 그림의 단위를 바꾸어 그림그래프로 나타내어 보세요.

캔 고구마의 무게

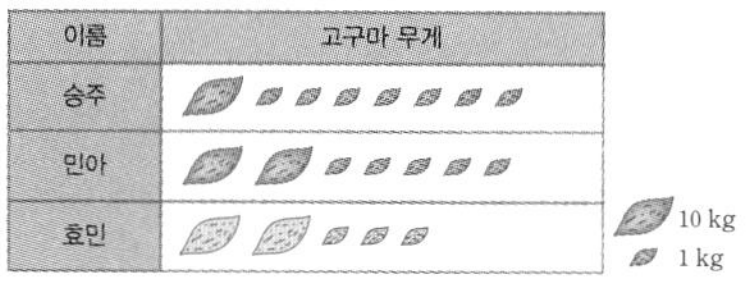

이름	고구마 무게
승주	
민아	
효민	

🍠 10 kg
🍠 1 kg

❶ 승주와 민아가 캔 고구마의 무게는 각각 몇 kg일까요?

✢ 승주: 큰 그림 1개, 작은 그림 7개이므로　승주 (**17 kg**)
17 kg입니다.　　　　　　　　　　　民아 (**25 kg**)
민아: 큰 그림 2개, 작은 그림 5개이므로 25 kg입니다.

❷ 효민이가 캔 고구마의 무게는 몇 kg일까요?

(**23 kg**)

✢ 65−17−25＝23 (kg)

❸ 위 그림그래프를 완성해 보세요.

✢ 효민이가 캔 고구마의 무게는 23 kg이므로 큰 그림 2개,
작은 그림 3개를 그립니다.

❹ 위 그림그래프의 그림의 단위를 바꾸어 그림그래프를 완성해 보세요.

캔 고구마의 무게

이름	고구마 무게
승주	
민아	
효민	

🍠 10 kg
🍠 5 kg
🍠 1 kg

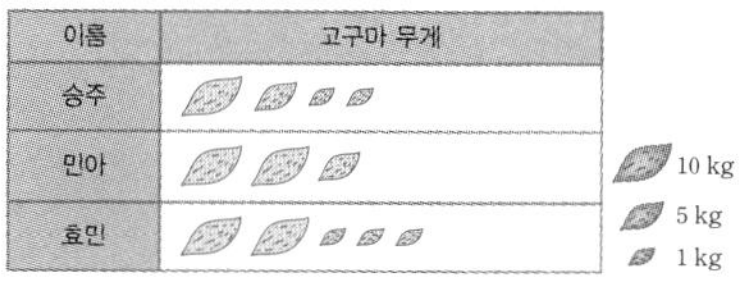

✢ 중간 그림은 5 kg을 나타내므로 가장 작은 그림 5개를 중간 그림
1개로 바꾸어 그립니다.

6. 자료의 정리 · 87

2단계 교과 사고력 확장

정답과 풀이 p.22

1 과수원별 감 생산량을 조사하여 표로 나타내었습니다. 표와 그림그래프를 완성해 보세요.

과수원별 감 생산량

과수원	㉮	㉯	㉰	㉱	합계
감 생산량(상자)	624	315	462	237	1638

❶ ㉰ 과수원의 감 생산량은 몇 상자일까요?

(**462상자**)

❖ 1638 − 624 − 315 − 237 = 462(상자)

❷ 그림그래프로 나타낼 때 그림은 몇 가지로 나타내는 것이 좋을까요?

(**예) 3가지**)

❖ 감 생산량이 세 자리 수이므로 백의 자리, 십의 자리, 일의 자리를 나타내는 3가지 그림이 좋습니다.

❸ 표를 보고 그림그래프를 완성해 보세요.

과수원별 감 생산량

과수원	감 생산량
㉮	
㉯	
㉰	
㉱	

🍅 **100** 상자 🍅 **10** 상자 • **1** 상자

❖ ㉮ 과수원은 가장 큰 그림이 6개, 중간 그림이 2개, 가장 작은 그림이 4개이므로 가장 큰 그림은 100상자, 중간 그림은 10상자, 가장 작은 그림은 1상자를 나타냅니다.
㉰ 과수원은 462상자이므로 가장 큰 그림 4개, 중간 그림 6개, 가장 작은 그림 2개를 그립니다.
㉱ 과수원은 237상자이므로 가장 큰 그림 2개, 중간 그림 3개, 가장 작은 그림 7개를 그립니다.

88 · Run - C 3-2

2 마을별 학생 수를 조사하여 나타낸 그림그래프입니다. 네 마을의 학생이 모두 1220명일 때 도로의 동쪽과 서쪽 중 어느 쪽에 학생이 몇 명 더 많은지 구해 보세요.

마을별 학생 수

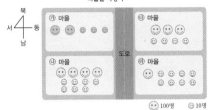

☺ 100명 ☺ 10명

❶ 도로의 동쪽에 사는 학생은 몇 명일까요?

(**520명**)

❖ ㉰ 마을: 340명, ㉱ 마을: 180명
➡ 340 + 180 = 520(명)

❷ 도로의 서쪽에 사는 학생은 몇 명일까요?

(**700명**)

❖ ㉮ 마을: 1220 − 470 − 340 − 180 = 230(명), ㉯ 마을: 470명
➡ 230 + 470 = 700(명)

❸ 도로의 동쪽과 서쪽 중 어느 쪽에 학생이 몇 명 더 많은지 차례로 구해 보세요.

(**서쪽**), (**180명**)

❖ 동쪽: 520명, 서쪽: 700명
520 < 700이므로 서쪽이 700 − 520 = 180(명) 더 많습니다.

6. 자료의 정리 · 89

2단계 교과 사고력 확장

3 어느 아이스크림 가게의 요일별 아이스크림 판매량을 조사하여 그림그래프로 나타내었습니다. 5일 동안 팔린 아이스크림은 166개이고 아이스크림 한 개의 가격은 800원입니다. 아이스크림이 가장 많이 팔린 요일과 가장 적게 팔린 요일의 아이스크림 판매 금액의 차는 얼마인지 구해 보세요.

요일별 아이스크림 판매량

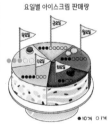

● 10개 ○ 1개

❶ 아이스크림이 가장 많이 팔린 요일은 언제일까요?

(**수요일**)

❖ (목요일에 팔린 아이스크림 수) = 166 − 34 − 22 − 43 − 35 = 32(개)
43 > 35 > 34 > 32 > 22이므로 아이스크림이 가장 많이 팔린 요일은 수요일입니다.

❷ 아이스크림이 가장 적게 팔린 요일은 언제일까요?

(**화요일**)

❖ 22 < 32 < 34 < 35 < 43이므로 아이스크림이 가장 적게 팔린 요일은 화요일입니다.

❸ 아이스크림이 가장 많이 팔린 요일과 가장 적게 팔린 요일의 아이스크림 판매 금액의 차는 얼마인지 구해 보세요.

(**16800원**)

❖ (수요일에 팔린 아이스크림 수) − (화요일에 팔린 아이스크림 수)
= 43 − 22 = 21(개)
➡ (판매 금액의 차) = 800 × 21 = 16800(원)

90 · Run - C 3-2

정답과 풀이 p.22

❖ 선생님이 되고 싶어 하는 학생 수를 □명이라 하면 운동선수가 되고 싶어 하는 학생 수는 (□ + 20)명입니다.

4 민주네 학교 학생들의 장래 희망을 조사하였습니다. 선생님이 되고 싶어 하는 학생은 운동선수가 되고 싶어 하는 학생보다 20명 더 적습니다. 표와 그림그래프를 완성하고 가장 많은 학생이 되고 싶어 하는 것을 구해 보세요.

장래 희망별 학생 수

장래 희망	의사	선생님	연예인	운동선수	합계
학생 수(명)	20	15	27	35	97

장래 희망별 학생 수

장래 희망	학생 수
의사	
선생님	
연예인	
운동선수	

☺ 10명 ☺ 1명

❶ 표를 완성해 보세요.

20 + □ + 27 + □ + 20 = 97, □ + □ + 67 = 97, □ + □ = 30, □ = 15
따라서 선생님이 되고 싶어 하는 학생은 15명, 운동선수가 되고 싶어 하는 학생은 15 + 20 = 35(명)입니다.

❷ 표를 보고 그림그래프로 나타내어 보세요.

❖ 의사: 20명 ➡ 큰 그림 2개, 선생님: 15명 ➡ 큰 그림 1개, 작은 그림 5개
연예인: 27명 ➡ 큰 그림 2개, 작은 그림 7개
운동선수: 35명 ➡ 큰 그림 3개, 작은 그림 5개

❸ 가장 많은 학생이 되고 싶어 하는 것은 무엇일까요?

(**운동선수**)

❖ 35 > 27 > 20 > 15이므로 가장 많은 학생이 되고 싶어 하는 것은 운동선수입니다.

6. 자료의 정리 · 91

정답과 풀이 p.23

③ 단계 교과 사고력 완성

평가 영역 □개념 이해력 ☑개념 응용력 □창의력 □문제 해결력

1 어느 마트의 삼각김밥 판매량을 조사하여 표로 나타내었습니다. 참치김밥이 비빔밥 김밥보다 2배 많이 팔렸습니다. 표를 완성하고 그림그래프 2가지로 나타내어 보세요.

마트의 삼각김밥별 판매량

종류	참치	김치	비빔밥	불닭	합계
판매량(개)	**32**	27	**16**	35	110

삼각김밥별 판매량

종류	판매량
참치	△ △ △ △ △
김치	△ △ △ △ △ △ △
비빔밥	△ △ △ △ △ △
불닭	△ △ △ △ △ △ △ △

△ 10개
△ 1개

❖ (참치김밥과 비빔밥김밥 수의 합)＝110－27－35＝48(개)
➜ (비빔밥김밥의 판매량)
＝48÷3＝16(개)
(참치김밥의 판매량)
＝16×2＝32(개)

그림 종류가
늘어나면 뭐가
다른거지?

그림을 그려야 하는
횟수가 적어질 수
있어.

삼각김밥별 판매량

종류	판매량
참치	△ △ △ △ △
김치	△ △ ○ △ △
비빔밥	△ ○ △
불닭	△ △ △ ○

△ 10개
○ 5개
△ 1개

92 · Run-C 3-2

---

2 학생들이 좋아하는 동물을 조사한 것입니다. 강아지를 좋아하는 학생은 30명이고 토끼를 좋아하는 학생은 21명입니다. 물음에 답하세요.

❶ 가장 많은 학생이 좋아하는 동물은 무엇일까요?

(**고양이**)

❖ 큰 그림이 2개, 작은 그림이 2개인 고양이를 좋아하는 학생이
가장 많습니다.

❷ 🐶과 🐱가 나타내는 수를 각각 써 보세요.

🐶 (**15명**), 🐱 (**3명**)

❖ 강아지를 좋아하는 학생은 큰 그림 2개가 30명을 나타내므로 큰 그림 1개는 30÷2＝15(명)을
나타냅니다. 토끼를 좋아하는 학생은 큰 그림 1개와 작은 그림 2개가 21명을 나타냅니다. 큰 그림
1개는 15명을 나타내고 작은 그림 2개는 21－15＝6(명)을 나타내므로 작은 그림 1개는 3명을
나타냅니다. ❸ 고양이를 좋아하는 학생은 다람쥐를 좋아하는 학생보다 몇 명 더 많은지 구
해 보세요.

(**12명**)

❖ 고양이: 큰 그림 2개, 작은 그림 2개이므로 15×2＝30(명), 3×2＝6(명)에서
30＋6＝36(명)입니다.
다람쥐: 큰 그림 1개, 작은 그림 3개이므로 15×1＝15(명), 3×3＝9(명)에서
15＋9＝24(명)입니다.
➜ 36－24＝12(명)

6. 자료의 정리 · 93

Test 종합평가   6. 자료의 정리

맞은 개수

정답과 풀이 p.23

[1~4] 보영이네 반 학생들이 좋아하는 운동을 조사하여 표로 나타내었습니다. 물음에 답하세요.

좋아하는 운동별 학생 수

운동	축구	야구	농구	피구	합계
학생 수(명)	8	7	9	4	28

1 농구를 좋아하는 학생은 몇 명일까요?

(**9명**)

❖ (농구를 좋아하는 학생 수)＝28－8－7－4＝9(명)

2 보영이네 반 학생은 몇 명일까요?

(**28명**)

❖ 합계를 보면 28명입니다.

3 가장 많은 학생이 좋아하는 운동은 무엇일까요?

(**농구**)

❖ 9＞8＞7＞4이므로 가장 많은 학생이 좋아하는 운동은
농구입니다.

4 야구를 좋아하는 학생은 피구를 좋아하는 학생보다 몇 명 더 많은지 구해 보세요.

(**3명**)

❖ 야구: 7명, 피구: 4명
➜ 7－4＝3(명) 더 많습니다.

94 · Run-C 3-2

[5~8] 마을별 쌀 생산량을 조사하여 그림그래프로 나타내었습니다. 물음에 답하세요.

마을별 쌀 생산량

마을	쌀 생산량
가	🌾🌾🌾🌾 🍚🍚🍚🍚🍚🍚
나	🌾🌾🌾 🍚🍚🍚
다	🌾🌾🌾🌾🌾 🍚🍚
라	🌾🌾🌾🌾 🍚🍚🍚🍚

🌾 100가마
🍚 10가마

5 각 마을의 쌀 생산량을 각각 구해 보세요.

➜ 가 마을: 큰 그림 4개, 작은 그림 6개 ➜ 460가마

가 마을 (**460가마**), 나 마을 (**330가마**)
다 마을 (**520가마**), 라 마을 (**440가마**)

나 마을: 큰 그림 3개, 작은 그림 3개 ➜ 330가마
다 마을: 큰 그림 5개, 작은 그림 2개 ➜ 520가마
라 마을: 큰 그림 4개, 작은 그림 4개 ➜ 440가마

6 쌀 생산량이 가장 많은 마을은 어느 마을일까요?

(**다 마을**)

❖ 100가마를 나타내는 그림의 수가 가장 많은 마을을 찾으면
다 마을입니다.

7 가 마을은 라 마을보다 쌀 생산량이 몇 가마 더 많을까요?

(**20가마**)

❖ 가 마을: 460가마, 라 마을: 440가마
➜ 460－440＝20(가마)

8 쌀 생산량이 가장 많은 마을은 가장 적은 마을보다 쌀 생산량이 몇 가마 더 많을까요?

(**190가마**)

❖ 가장 많은 마을: 다 마을 ➜ 520가마
가장 적은 마을: 나 마을 ➜ 330가마
➜ 520－330＝190(가마)

6. 자료의 정리 · 95

Test 종합평가 6. 자료의 정리

정답과 풀이 p.24

[9~12] 영미네 반 학생들이 태어난 계절을 조사하여 나타낸 표입니다. 물음에 답하세요.

학생들이 태어난 계절

계절	봄	여름	가을	겨울	합계
여학생 수(명)	7	2	4	3	16
남학생 수(명)	4	1	5	2	12

9 봄에 태어난 여학생은 남학생보다 몇 명 더 많은지 구해 보세요.

(**3명**)

❖ $7 - 4 = 3$(명)

10 가을에 태어난 여학생은 몇 명일까요?

(**4명**)

❖ $16 - 7 - 2 - 3 = 4$(명)

11 영미네 반 학생은 모두 몇 명일까요?

(**28명**)

❖ 여학생 수: 16명, 남학생 수: $4 + 1 + 5 + 2 = 12$(명)
→ $16 + 12 = 28$(명)

12 가장 적은 수의 학생이 태어난 계절을 써 보세요.

(**여름**)

❖ 봄: $7 + 4 = 11$(명), 여름: $2 + 1 = 3$(명),
가을: $4 + 5 = 9$(명), 겨울: $3 + 2 = 5$(명)
→ $11 > 9 > 5 > 3$이므로 여름에 태어난 학생이 가장 적습니다.

96 · Run - C 3-2

[13~14] 준호네 반 학생들이 배우고 싶은 악기를 조사하여 표로 나타내었습니다. 피아노를 배우고 싶은 학생은 플루트를 배우고 싶은 학생의 2배일 때 조사한 학생 수를 구하려고 합니다. 물음에 답하세요.

배우고 싶은 악기

악기	피아노	바이올린	플루트	드럼	합계
학생 수(명)	16	7	8	5	

13 피아노를 배우고 싶은 학생은 몇 명일까요?

(**16명**)

❖ $8 \times 2 = 16$(명)

14 조사한 학생 수는 모두 몇 명일까요?

(**36명**)

❖ 합계: $16 + 7 + 8 + 5 = 36$(명)

[15~16] 혜영이네 반 학급문고의 책을 조사하여 그림그래프로 나타내었습니다. 학급문고의 책 수가 124권일 때 물음에 답하세요.

종류별 책 수

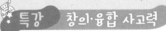

종류	책 수
동화책	
위인전	
과학책	
시집	

□ 10권
□ 1권

15 동화책은 몇 권일까요?

(**23권**)

❖ $124 - 52 - 32 - 17 = 23$(권)

16 가장 많은 책과 가장 적은 책의 책 수의 차를 구해 보세요.

(**35권**)

❖ 가장 많은 책: 위인전(52권), 가장 적은 책: 시집(17권)
→ $52 - 17 = 35$(권)

6. 자료의 정리 · 97

98쪽 ~ 99쪽

Test 종합평가 6. 자료의 정리

정답과 풀이 p.24

[17~20] 학생들이 좋아하는 과일을 조사하여 그림그래프로 나타낸 것입니다. 포도를 좋아하는 학생은 6명이고 귤을 좋아하는 학생은 12명일 때 물음에 답하세요.

좋아하는 과일

과일	학생 수
사과	☺ ☺ ☺ ☺
딸기	☺ ☺ ☺
포도	☺ ☺ ☺
귤	☺ ☺

☺ 10 명
☺ 2 명

❖ 포도를 좋아하는 학생은 작은 그림 3개이므로 작은 그림 1개는 $6 \div 3 = 2$(명)을 나타냅니다.

17 딸기를 좋아하는 학생은 몇 명일까요?

(**14명**)

귤을 좋아하는 학생은 큰 그림 1개, 작은 그림 1개이므로 큰 그림 1개는 $12 - 2 = 10$(명)을 나타냅니다.
따라서 큰 그림 1개, 작은 그림 2개인 딸기를 좋아하는 학생은 $10 + 4 = 14$(명)입니다.

18 그림그래프를 보고 표를 완성해 보세요.

좋아하는 과일별 학생 수

과일	사과	딸기	포도	귤	합계
학생 수(명)	16	14	6	12	48

19 가장 적은 학생이 좋아하는 과일은 무엇일까요?

(**포도**)

❖ 그림그래프에서 큰 그림의 수가 가장 적은 과일을 찾으면 포도입니다.

20 조사한 학생은 모두 몇 명인지 알아보려면 그림그래프와 표 중 어느 것이 더 편리할까요?

(**표**)

❖ 표의 합계를 보면 조사한 학생 수를 쉽게 알 수 있습니다.

98 · Run - C 3-2

특강 창의·융합 사고력

정답과 풀이 p.24

1 다음은 2016년에 열린 제31회 리우데자네이루 올림픽에서 나라별로 딴 금메달의 수를 조사하여 그림그래프로 나타낸 것입니다. 물음에 답하세요.

나라별 금메달 수

나라	금메달 수
미국	
러시아	
중국	
영국	

🏅 10개
🏅 5개
🏅 1개

(1) 그림그래프를 보고 표로 나타내어 보세요.

나라별 금메달 수

나라	미국	러시아	중국	영국	합계
금메달 수(개)	46	19	26	27	118

❖ 미국: 46개, 러시아: 19개, 중국: 26개, 영국: 27개

(2) 금메달을 가장 많이 딴 나라를 써 보세요.

(**미국**)

$46 > 27 > 26 > 19$이므로 미국이 금메달을 가장 많이 땄습니다.

(3) 중국은 러시아보다 금메달을 몇 개 더 땄는지 구해 보세요.

(**7개**)

❖ 중국: 26개, 러시아: 19개
→ $26 - 19 = 7$(개)

6. 자료의 정리 · 99

자신감 올리GO!
수학성적 올리GO!
재미있GO! 즐겁GO!

GO!

우리는 〈교과서+사고력〉으로 수학을 신나게 공부해요!

GO! 매쓰

자세한 문의는　◯◯◯ - ◯◯◯◯ - ◯◯◯◯

수학 **3**-2

정답과 풀이

Jump

유형 사고력

Run

교과서 사고력

Start

교과서 개념